Colección
Crecimiento Espiritual

Pan House
Casa Editorial

1era edición
ISBN 978-99961-0-773-3

Editado y publicado por Máxima Velocidad Producciones 2016.
San Salvador. El Salvador.

 El texto bíblico se tomó de la Santa Biblia Nueva Versión Internacional, Sociedad Bíblica Internacional.

2da edición julio 2021
Editorial PanHouse
www.editorialpanhouse.com

Edición general:
Jonathan Somoza
Gerencia editorial:
Paola Morales
Coordinación editorial:
Barbara Carballo
Corrección editorial:
Carolina Acevedo
Diseño, portada y diagramación:
Audra Ramones

ISBN: 978-980-437-060-1
Depósito legal: DC2021001502

CARLOS NAVAS

SEXUAL MENTE SANTOS

tu sexualidad tiene un diseño y propósito

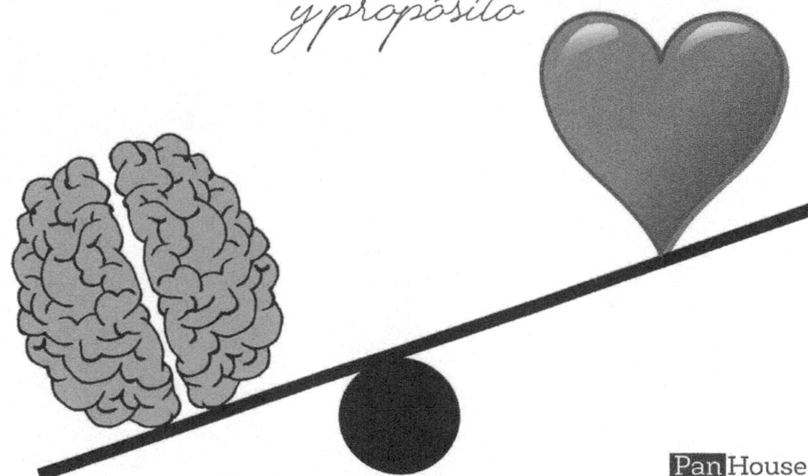

PanHouse

ÍNDICE

DEDICATORIA

Cientos de personas entre jóvenes, adultos, hombres, mujeres, padres de familia, esposos, líderes, pastores, y gente de todos los contextos sociales, nos han buscado pidiendo ayuda para encarar sus batallas con la sexualidad. Enfrentan frustraciones por los errores, sobrellevan remordimientos y confusiones, mientras son bombardeados de información e imágenes tóxicas. Con ellos hemos llorado, orado y celebrado. La batalla es intensa y cada día hay mucho más que enfrentar.

Nuestro deseo es inspirarlos para no rendirse, mientras fortalecemos su fe y sus convicciones para alcanzar la victoria. A todos ellos dedico esta obra, que estoy seguro será de ayuda y orientación para seguir adelante.

AGRADECIMIENTOS

Mi más profundo agradecimiento al Señor Todopoderoso. Aquel de quien vino la sabiduría, recurso y fortaleza para culminar este proyecto, a Dios sea la Gloria.

"Porque Jehová es bueno y para siempre su misericordia...".
Salmo 100:5

SOBRE EL AUTOR

Carlos Navas nació en El Salvador y es parte del equipo pastoral de Iglesia del Camino en su nación. Una iglesia de alta influencia a nivel nacional e internacional.

Es licenciado en Teología y licenciado en Comunicaciones y cuenta con una maestría en Teología y Administración Pastoral.

Es fundador y director del Movimiento Avivadores, cuyo propósito es avivar el fuego de una fe cristiana relevante y de impacto positivo en su contexto. Impulsa la labor misionera en América. Es conferencista en temas de liderazgo, familia, juventud, finanzas y diferentes áreas del campo ministerial a nivel nacional e internacional. A través de su pódcast *Estrategia, fortaleza y fe*, y las diferentes plataformas y redes sociales, imparte instrucción e inspiración a sus seguidores. Es director de Radio El Camino 106.1 FM; estación cristiana en El Salvador que transmite las veinticuatro horas, los siete días a la semana una programación fresca y edificante.

Ha escrito más de trece libros y manuales para jóvenes, líderes, familia y ministerio. Es presidente y fundador del Centro de Entrenamiento Bíblico AVIVADORES (CEB AVIVADORES), institución especializada en la capacitación, fortalecimiento y motivación de pastores, líderes y todos aquellos interesados en capacitarse y fortalecer sus herramientas y el conocimiento de la Palabra de Dios.

Con su esposa, Rosario, tiene tres hijos: Carlos David, Marian Esther y Daniela Elizabeth.

"Los numerosos estímulos que tienden a apartarnos de Dios por medio de la sexualidad hacen relevante este tema. Y estos estímulos se han fortalecido por el inmenso avance de la tecnología en comunicaciones. La iglesia tiene que hacer contra peso a toda esa influencia".

Dr. Mauricio Navas

Pastor general de Iglesia del Camino en El Salvador

"Como padres necesitamos respuestas sabias, bíblicas y muy actualizadas para enfrentar todos los desafíos y las mentiras que nuestros hijos encuentran en las redes sociales, al navegar en Internet, con sus amigos y en toda la presión que el mundo ejerce sobre ellos para destruir sus vidas a través de la inmoralidad sexual. Debemos instruirnos y prepararnos para confrontar a nuestro enemigo con los valores y principios de la Palabra de Dios y facilitar las instrucciones sobre la verdad del uso del diseño tan hermosos que Él ha planeado para nuestra sexualidad y disfrutarla al máximo".

Dra. Rosario de Navas

Pastora en AVIVADORES,

conductora y productora del programa Mujeres al Máximo

"Uno de los mayores problemas acerca del tema de la sexualidad es pensar precisamente que es un asunto "privado", es mi cuerpo, son mis decisiones, es mi vida. Lamentablemente las consecuencias de esas decisiones no lo son. Afecta vidas, familias y ministerios. ¿Por qué es tan importante hablar de sexualidad hoy?, porque la Biblia es autoridad en nuestras vidas y tiene muchísimo que hablarnos sobre algo que Dios mismo diseñó".

Alex Navas

Director de alabanza y adoración y salmista internacional

"Hablar de este tema es de gran relevancia, porque debemos promover y establecer con firmeza una nueva cultura cristiana que esté enfocada en vivir sexualmente limpios y consagrados a Dios, para construir familias saludables de impacto para la sociedad".

Pastor Luis Ángel Díaz

Supervisor nacional Iglesia de Dios en El Salvador

"Es importante porque es uno de los campos en donde la sociedad ha cometido más errores, la sociedad entera ha violentado su libre albedrío por medio del sexo. Los seres humanos siempre hemos violado los mandamientos de Dios, pero ahora el desenfreno sexual es la provocación más abierta hacia la autoridad divina. Mi hermano, es emergente este tema".

Pastor Luis Ricardo Panameño

Iglesia Monte Carmelo de las Asambleas de Dios y director de Radio Verdad en El Salvador

"En un mundo lleno de inmoralidad y perversión sexual, con información tergiversada a la verdad bíblica, se necesitan respuestas y soluciones basadas en la Palabra, y la iglesia tiene la responsabilidad de hacerlo".

Pastora Kelly de Mejía

Iglesia Jerusalén El Salvador

"Dios ha diseñado un modelo para nuestra sexualidad en el matrimonio, pero el mundo vive una sexualidad contaminada trayendo muerte y destrucción, por esto es importante conocer el plan que Dios estableció dentro del matrimonio".

Pastor Enrique Hernández

Iglesia Transformación y vida, Querétaro, México

"Es sumamente importante. Todos luchamos con la pureza sexual: niños, jóvenes y adultos, solteros y casados. Además, hoy el acceso a los medios de impureza sexual es demasiado fácil y agresivo. Por eso debemos darle dirección y opciones a la gente para que no caiga en esclavitud de impureza sexual o salga de ella, si ya cayeron".

Pastor David Rivera

"Comunidad", Pembroke Pines, Miami, USA

"Es importante hablar de sexualidad ahora porque educando bíblicamente recuperaremos los valores morales que se han perdido en nuestros hijos, y como resultado de eso obtendremos una mejor sociedad, menos hijos no deseados, menos abortos. En la santidad y educación de hoy está el éxito de tu mañana".

Pastor Yovani Quinteros

Iglesia hispana The House, Modesto California, USA

"En este tiempo para muchos jóvenes el tema de la sexualidad es cotidiano y todo es permitido. No confían en la familia como fuente de educación sexual y piensan que los amigos, los libros o la propia experimentación son los medios más adecuados para obtener información sobre ella. Es importante presentar el tema desde la perspectiva de la Palabra de Dios".

Edwin Gavidia

Pastor Iglesia Casa de Oración, Oakland, California, USA

"El libro más antiguo de la Biblia destaca la historia de un hombre íntegro, del cual Dios se sentía orgulloso: Job 31:1 dice: "Hice un pacto con mis ojos, de no mirar con codicia sexual a ninguna joven". El Señor viene por una iglesia que a la manera de Job se mantiene sin mancha y sin arruga. Por eso considero esencial hablar de la sexualidad ahora".

Ricardo Quinteros

Salmista internacional

"Es importante porque la sexualidad siempre estará de "MODA", y necesitamos contar con una orientación puntual y totalmente apegada a los principios de la Palabra de Dios. Además, es importante porque el diablo no es quien inventó el sexo, el sexo es creación de Dios, es parte de su plan, es urgente fortalecer una conducta responsable en este tema".

Ernesto Rivera

Líder de AVIVADORES NUEVA GENERACIÓN, en El Salvador

"La sociedad está viviendo una época en la que la libertad sexual es bienvenida. La sexualidad tiene límites. Necesitamos enseñarles a los jóvenes que existe un gozo aún más grande de lo que ofrece una vida sexual sin frenos y sin un propósito divino".

Héctor Santos

Misionero

"Es importante porque los jóvenes tienen conceptos erróneos o inmaduros sobre el sexo y la sexualidad, es fácil que confundan el amor con sexo".

Saúl Quintanilla

Director del Movimiento Universitario Oasis

"Abordar el tema de la sexualidad desde la perspectiva bíblica es crucial, relevante y una urgente necesidad. Nos invita a reflexionar en cuanto a nuestro deber cristiano de no callar por temor, tabúes o por mitos alrededor de este tema, evidenciando la prioridad de reconocer el mensaje de Dios para cada hombre y para cada mujer en esta área: la integridad sexual. Recordar que hay esperanza y victoria en aquel que todo lo puede, es uno de los alicientes de este libro, el cual, además, es un excelente recurso para el desarrollo de talleres y seminarios en ámbitos académicos formales y de educación continua, pues al estar fundamentado en las Sagradas Escrituras, su mensaje es verídico, convincente y desafiante en la búsqueda de la santidad (física, emocional, mental, espiritual), y poder experimentar una vida plena en Cristo Jesús".

Cristina de Amaya

M. D, MSc; Ph. D. Investigadora y Consultora - Temática de Adicciones a Sustancias Psicoactivas

Rectora de la Universidad Evangélica de El Salvador

SEXO... SEXO... SEXO

No lo podía creer, estábamos en un restaurante muy popular y familiar en nuestra ciudad cenando con un gran amigo, en las paredes colgaban televisores en los que se transmitía una película con las escenas más grotescas de violencia que jamás haya visto, cuerpos desmembrados, sangre, sangre, sangre..., pero lo que realmente me indignó fueron las explícitas, y debo recalcar con mayúscula, subrayado y en "negrita": **LAS EXPLÍCITAS** escenas pornográficas que se estaban transmitiendo en esa película. Escenas de sexo en la oficina, lesbianismo, cuerpos desnudos, erotismo, y una vez más te lo voy a decir, no eran insinuaciones sexuales ni exageraciones religiosas o puritanas, era PORNOGRAFÍA en un restaurante de formato familiar y en horario familiar. Llamé a la mesera y dije: "Será muy difícil que venga a este lugar una vez más, y aún más difícil que traiga a mis hijos acá".

Cine, películas, música, anuncios en el periódico, revistas, *sexting*, redes, Internet, pornografía, tus amigos, tus amigas, artistas, actrices, cantantes, sexo, sexo, sexo..., está en todos lados; eres parte de la generación más expuesta al sexo ilícito. Todos quieren opinar, tus amigos, tu novio(a), tus padres, en la escuela y hasta tus hormonas, todos quieren decirte cómo manejar esto, y el punto importante es ¿a quién estás escuchando?

No falles en esto, no caigas en la trampa, tenemos más enfermedades venéreas, SIDA, abortos, embarazos no deseados, planes truncados, violaciones, familias desintegradas, soledad, frustración, aberraciones de todo tipo. ¿A quién estás escuchando?, no falles, el 57 % de jóvenes al llegar a los 17 años ya ha tenido su primera relación sexual, esto es importante porque estamos hablando de jóvenes que asisten a las iglesias y suponemos que se están cuidando, algo en cuanto a la sexualidad no está bien.

Si se trata de sexo, Dios es el experto

Escucha al experto, al que diseñó el manual del usuario, acércate al Creador del sexo: Dios. Él tiene verdades que compartir acerca de tu sexualidad y te aseguro que serán mejores que cualquier otra. Hay parámetros, principios y valores que debes respetar. Las reglas del juego no se pueden ignorar, si lo haces, quedarás descalificado y serás otro número en las estadísticas, otro sueño en el cesto de la basura, otra herida profunda en el alma, o peor aún, otro embarazo en las manos de la muerte.

Déjame hablarte de ser *Sexualmente Santo*; a veces, cuando menciono el término me miran con cara de: "¿Es en serio?..., ¿de verdad piensas que se puede?..., ¿tienes idea de lo que estoy haciendo o quiero hacer?..., eso es imposible, además me gusta, nos gusta, lo disfrutamos, no estoy seguro de querer cambiar eso". Fallar en esto trae algunas consecuencias complicadas e ignorar a Dios con esto no funcionará. Sobre todo, debes saber que sí se puede y hay ayuda disponible. *Sexualmente Santo* significa básicamente dos cosas: **"Diseño y propósito".** ¡¡¡Síííí!!! Hay un diseño y propósito para tu sexualidad y vamos a descubrirlo juntos.

Este libro te ayudará a conocer el modelo y patrón a seguir. Te presentaremos las diferentes artimañas para hacerte caer del propósito de tu sexualidad, y lo más importante, conocerás las herramientas y armamento para enfrentar todos esos pensamientos que quieren desestabilizar el control de tu sexualidad. Y la gran noticia del libro es que DIOS TE DA UNA NUEVA OPORTUNIDAD PARA VIVIR SEXUALMENTE SANTO.

Un hombre de edad media, casado y con hijos me dijo hace unos días: "He fallado en mi sexualidad, le fallé a mis hijos y a mi esposa, caí en la trampa de la pornografía, todo comenzó tan simple con una pequeña imagen y luego una cosa llevó a la otra, me siento muy mal". Le contesté: "Conozco a todos los que han caído en una trampa de sexualidad, absolutamente a todos, porque todos de una u otra manera hemos caído". ¿Quién no ha estado expuesto a la sexualidad ilícita?, este es un león que tarde o temprano todos tendremos que enfrentar. Por eso, debemos hablar de esto una vez más, y ante las nuevas trampas encontrar nuevas armas y estrategias. La buena noticia es que se puede vencer y se puede vivir "sexualmente santo", sí, claro que se puede, y tú no fallarás en el intento.

Me emociona que tengas este libro en tus manos y estoy seguro que te va a ayudar. Confío en que este libro tendrá la capacidad de levantar una generación afirmada en vivir su sexualidad con rectitud, esforzándose por cumplir y sobrevivir a la presión. Una generación que podrá vencer y vivir en paz.

"Hijo..., hija..., ¿estás allí?..., te amo..., yo te formé y te diseñé..., déjame guiarte..., no te confundas ni escuches la voz equivocada..., yo sé cómo funciona esto..., has faltado a algunas reglas y estás a punto de caer..., déjame ayudarte..., ¿estás allí?..., te amo... SOY Jesús y quiero hablar contigo".

"Y Dios creó al ser humano...
Hombre y mujer los creó,
y los bendijo...".
Génesis 1:27-28

CAPÍTULO 1

SEXUALMENTE SANTOS... ¿DE QUÉ ME ESTÁS HABLANDO?

Santidad es cumplir con el plan y diseño de Dios
en todas las áreas de tu vida, incluyendo tu sexualidad.
Tal vez no estés teniendo relaciones sexuales,
pero no significa que tu sexualidad
esté en la santidad de Dios.
Carlos Navas

Una sexualidad con diseño y propósito

Sin duda hay muchas voces hablándote de sexo, muchos quieren opinar acerca de cuál es la mejor manera de manejar tu sexualidad: tu novio(a), tus amigos, la televisión, Internet, Hollywood, tus papás, tus líderes, libros, y la lista puede seguir por media página más. Entre esas voces encuentras todo tipo de opiniones, conceptos, hábitos e ideas como: "sexo seguro", "hazlo, todo el mundo lo hace", "si se aman ¿por qué no?", "es común, no seas tan religioso", "virginidad es cosa del pasado", etc. Te persiguen, te rodean, te seducen y a más de alguno lo convencen para tomar decisiones acerca de la manera de experimentar su sexualidad.

Qué te parece si vamos con el Creador del sexo, Dios.

Él diseñó a los seres humanos y los formó como seres sexuales, Él nos diseñó, por lo tanto, Él conoce mejor que nadie el funcionamiento de la sexualidad humana.

Qué mala costumbre tenemos, adquirimos un equipo de última generación y comenzamos la labor de ensamble y conexiones desesperados por poner a funcionar nuestro nuevo "juguete". Lo hacemos a nuestra manera y criterio, de repente, la pieza W no encaja con la pieza X, han sobrado demasiadas piezas H y se supone que todas deben ser utilizadas..., mmmm, algo no está bien. Comenzamos a sospechar del procedimiento justo cuando una parte de la pieza M se rompe. Un par de forcejeos y finalmente cuando percibimos que el asunto terminará en un desastre, vamos al fondo del empaque para buscar aquel pequeño conjunto de páginas del fabricante llamado, ¡exacto!, manual. Lo leemos y encontramos el problema, solo esperando que no sea demasiado tarde para comenzar de nuevo. Algo parecido sucede con tu sexualidad, oyes muchas opiniones de tantas fuentes que tratan de integrar este complicado sistema llamado "sexualidad". Una pieza por acá, otra por allá, cambias de opinión, mueves un tornillo, otra herramienta para colocar otra parte y justo cuando el desastre es inminente, te das cuenta de que nunca consultaste el manual del fabricante, de hecho lo menospreciaste. Dios te diseñó, Él te formó, conoce y comprende tu sexualidad, Él puede ayudarte, consulta el manual del fabricante.

Debes comprender que tú eres algo más que un manojo de hormonas y sensaciones. Tu sexualidad tiene un propósito y diseño, comprender esto es clave para caminar en la ruta correcta.

¿Qué significa "sexualmente santos"? Para comprenderlo vamos a estudiar los términos por separado.

Hablemos de la palabra "santidad"

*"Más bien, **sean ustedes santos***
***en todo lo que hagan**,*
como también es santo quien los llamó...".
1 Pedro 1:15-16. (Énfasis del autor).

Empecemos con la palabra "santo". Dios hace un llamado a vivir en santidad y la palabra "santo" significa: "Separado, apartado, consagrado para el propósito de Dios[1]". Es el resultado de cumplir con la conducta apropiada. Es la separación de las cosas malas y de los malos caminos.

1 *Diccionario Enciclopédico de Biblia y Teología*

La palabra santidad tiene que ver con propósito y diseño. Un padre dialoga con su hijo acerca de los propósitos que tiene para su vida: la carrera universitaria, los planes financieros, valores, plazos, etc. A partir de ese momento este hijo queda apartado para ese propósito y diseño, si el hijo se desvía de esa ruta, se sale de la santidad. ¿Logras ver de qué se trata esa palabra?, Dios tiene un diseño, un plan, una manera de llevar todas las áreas de tu vida, vivir en santidad es esforzarte en cumplir ese propósito, cualquier otra manera de hacer las cosas te aleja de la santidad. Por ejemplo, Dios tiene un propósito para tu vocabulario, cuando tu manera de hablar no está alineada con ese propósito, te alejas de la santidad. Hay un plan acerca de lo que dejas entrar por tus ojos, cuando lo que miras no está acorde con el plan de Dios, entonces te alejas de la santidad. Dios tiene un plan para tu sexualidad, cuando tu manera de manejar la sexualidad no está en línea con el propósito de Dios, te alejas de la santidad.

Creo que en algún momento convertimos la palabra "santidad" en algo tan "espiritual", que la confundimos con "santulonería", y ahora nos cuesta comprenderla y practicarla. Santidad es cumplir con el plan y diseño de Dios en todas las áreas de tu vida, incluyendo tu sexualidad.

Andar en "santidad" requiere:

- **Esfuerzo**. Es más fácil caminar por el sendero ancho donde se vale todo y no hay reglas. Pero santidad es andar por el "camino angosto". "Hacer las cosas bien suele ser más complicado". (Mateo 7.13).
- **Práctica.** Comienza por hacer pequeños ajustes y poco a poco tendrás los mejores resultados, si te equivocas y fallas vuelve a comenzar. Cuando pasas un tiempo sin ha-

cer ejercicios (algunos años) y luego empiezas de nuevo, ¿no es cierto que al siguiente día tienes dolor hasta en el alma?, ¿qué haces?, no te detienes, sigues adelante hasta que tu cuerpo se va acostumbrando a la rutina y deja de doler. Al comienzo, cuando intentas alinearte con los principios de Dios te cuesta un poco, tus hábitos no responden como quisieras, pero poco a poco se va desarrollando un nuevo hábito y las cosas comienzan a mejorar, ten paciencia y practica la santidad. Hazlo cada día y mejorarás.

- **Conocimiento.** Necesitas información, saber el propósito de Dios, qué se espera de ti, cuál es la medida de la rectitud y la obediencia. Suelo decirle a mis hijos qué es lo que espero de ellos para que sepan cuál es el parámetro con el que los voy a medir, así podemos determinar si lo hicieron bien o fallaron. Debes saber qué es lo que espera Dios de ti para saber si lo estás haciendo bien o no.
- **Decisiones.** Para actuar y vivir en los principios de Dios debes comprometerte con ellos. Las buenas intenciones son buenas, pero no es suficiente. Debes decidir hacer lo correcto. Suelo enseñar que tu vida será el resultado de tus decisiones. Cada decisión que tomes evalúa en qué camino te puso. Esa decisión de ir con tu novio a ese lugar ¿en qué camino te puso?, más lejos o más cerca del diseño de Dios, o sea, de la santidad.

Hablemos de la palabra "sexualidad"

Dentro de la temática de la "sexualidad" existe una extensa terminología que día a día se incrementa y favorece la confusión. Tomaremos algunos conceptos para ponernos de acuerdo en algunos aspectos, pero sin dejar de considerar que con el pasar del tiempo estos pueden modificarse, cambiar, sustituir, adicionar, eliminar, etc.

"Sexualidad" no significa "sexo". Generalmente, cuando alguien menciona la palabra "sexo" hace referencia a dos cosas: características biológicas que lo definen como hombre o mujer (masculino o femenino), o relaciones sexuales.

Sexualidad es algo más integral. Piensa en una comida un tanto formal, primero, una entrada o aperitivo, luego el plato fuerte, acompañado de bebida y al final un postre. Esa comida está bastante completa. Solo el plato fuerte no hace la comida completa, todos los demás elementos sí lo hacen. El sexo es parte de la sexualidad, pero no es el plato completo. ¿Y por qué es importante saber esto?, porque tal vez no estés teniendo relaciones sexuales, pero no significa que tu sexualidad esté en la santidad de Dios, cumpliendo su propósito y diseño. Tus pensamientos, deseos, relaciones, conductas, fantasías, hábitos, etc., podrían estar fuera del diseño y propósito de Dios para tu sexualidad.

La sexualidad incluye:

- **Identificación sexual:** identificarte con lo que significa ser hombre o mujer según corresponda a tu sexo.
- **Comportamiento sexual:** la manera de expresar tu sexualidad. ¿Cómo son tus relaciones con las personas del mismo sexo?, y ¿con las del sexo opuesto?, ¿actitudes

sexuales depredadoras, compulsivas y lascivas o por el contrario, actitudes de respeto, cortesía, límites y control, son la evidencia de tu comportamiento sexual?

- **Orientación sexual:** ¿quién te atrae?, ¿los hombres o las mujeres?
- **Valores sexuales:** esto define lo que es correcto o incorrecto, aceptado o rechazado, permitido o prohibido.

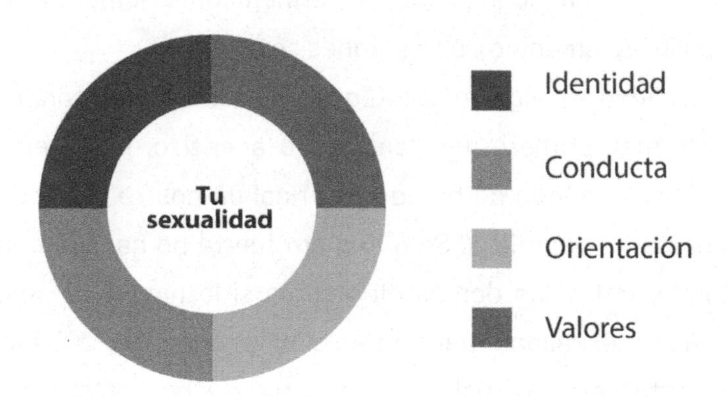

Cada uno de esos elementos define tu sexualidad, manejarlos apropiadamente producirá una sexualidad saludable y una sexualidad saludable produce relaciones saludables. Pero más allá de esa vivencia saludable, la meta es que esos elementos los vivas en santidad, es decir, según el propósito y diseño de Dios, que se encuentra en la Biblia.

La sexualidad según el propósito de Dios

Dios nos creó como seres sexuales, es decir, capaces de relacionarnos y manifestar nuestra sexualidad, la cual implica relaciones, comportamientos, valores que deben estar alineados al propósito de Dios (santidad), y ser sexualmente santos, es decir, capaces de experimentar una sexualidad que camine en el propósito y diseño de Dios.

Tu manera de ver y comportarte con las personas del sexo opuesto, lo que piensas de ellos, cómo te vistes, quién te gusta según tu sexo, cómo te identificas con tu propio sexo, la pureza, honestidad, dominio propio, los valores que te guían para tomar decisiones en cuanto a tu sexualidad deben estar alineados con el propósito de Dios, de esta manera, serás sexualmente santo.

Sexualmente santo significa vivir tu sexualidad según el diseño y propósito de Dios dado a través de los principios de la

Palabra, enfrentando las presiones y tentaciones sexuales a la luz de ese diseño con fe y victoria.

Ahora que sabes que hay un diseño para tu sexualidad y que se espera que tú camines en ese diseño, veamos sus características para conocer la manera de vivir "sexualmente santos".

CAPÍTULO 2

ENTONCES ¿CUÁL ES EL DISEÑO DE DIOS PARA TU SEXUALIDAD?

Las relaciones sexuales en el orden de Dios
son entre hombre y mujer; enmarcadas en el desarrollo
de una relación de amor, respeto y compromiso permanente
llamado matrimonio. Nuestra sexualidad debe estar regida
por amor y no simplemente pasiones, lujuria o placer.
Deja que el Espíritu transforme tu mente
para ver las cosas a su manera.
Carlos Navas

Tu sexualidad según la Biblia

Ahora sabes que Dios tiene un plan, un propósito y un diseño para cada área de tu vida y eso incluye tu sexualidad, pero ¿cuál es ese diseño? Acompáñame a revisar algunos principios que definen el diseño de la sexualidad que Dios quiere que tú vivas. Seguir estos principios te conducirá en el camino para vivir sexualmente santo.

1. **La sexualidad es un don de Dios y es bueno.**

"y dijo: "Hagamos al ser humano
a nuestra imagen y semejanza...
Y Dios creó al ser humano a su imagen;
lo creó a imagen de Dios.
Hombre y mujer los creó,
*y **los bendijo** con estas palabras:*
*"Sean fructíferos y **multiplíquense**;*
llenen la tierra y sométanla...".
Génesis. 1: 26-28. (Énfasis del autor).

"Dios miró todo lo que había hecho y consideró
*que era **muy bueno**...".*
Génesis 1:31. (Énfasis del autor).

Dios formó a los seres humanos y los hizo hombre y mujer, los hizo distintos. Obviamente, somos anatómicamente diferentes, porque el propósito y diseño es complementarnos en todos los sentidos, aún en lo relacionado con el sexo. Dios es el creador de tu sexualidad, Él te formó, por eso estamos con el manual del fabricante estudiando el asunto. Si Él te diseñó, puede entender tu sexualidad y ayudarte para vivirla correctamente. Sigue las instrucciones del fabricante y no de otros.

El texto dice que Dios formó al hombre y la mujer "y los bendijo", es decir, la sexualidad cuenta con la bendición de Dios y esa bendición, entre otras cosas, tiene que ver con ser fructíferos y multiplicarse, y que yo sepa, solo hay una manera natural en la que el ser humano puede multiplicarse y es a través de las relaciones sexuales. Dios lo hizo así y lo bendijo, de hecho al final del día, "Dios miró todo lo que había hecho, y consideró que era muy bueno...". Génesis 1:31.

Entonces tu sexualidad es algo que Dios bendijo, es su diseño, es bueno y Él te ayuda para que la vivas y la disfrutes sin peligro, tú puedes vivir "sexualmente santo".

2. **El sexo va más allá de ser un instrumento de placer.**

"Luego Dios el Señor dijo:
"No es bueno que el hombre ***esté solo****.*
Voy a hacerle una ***ayuda adecuada****".*

Entonces Dios el Señor formó de la tierra toda ave del cielo y todo animal del campo, y se los llevó al hombre para ver qué nombre les pondría...
Sin embargo, ***no se encontró*** *entre ellos la ayuda adecuada para el hombre.*
Entonces Dios el Señor hizo que el hombre cayera en un sueño profundo y, mientras este dormía, le sacó una costilla... De la costilla que le había quitado al hombre, Dios el Señor hizo una mujer y se la presentó al hombre, el cual exclamó:

*"**Esta sí** es hueso de mis huesos y carne de mi carne,*
porque del hombre fue sacada.
Por eso el hombre deja a su padre y a su madre, y se une a su mujer, y los dos se funden en un solo ser".
Génesis. 2:18-24. (Énfasis del autor).

¿Cómo te ve Dios?, te ve junto a alguien más. No te mira solo, no te mira aislado, te mira acompañado con la "ayuda adecuada". Casi puedo imaginar a Adán caminando en las veredas del huerto, corriendo en alguna pradera o subiendo un árbol, jugueteando con algún animal, reposando con un tronco de almohada y un día más llegó a su final. Dios lo mira y dice: "No es bueno que esté solo" y decide buscarle ayuda adecuada. Una fila de animales se presentó a la mañana siguiente y de alguna manera Adán sabía que tenía que nombrarlos, formar algún tipo de identidad para ellos mientras confrontaba su propia identidad, al finalizar la jornada él seguía solo, entonces durmió y una parte de él fue el punto de partida. ¿Quién podría comprender la soledad y el valor del compañerismo?, solo su propia naturaleza podía ser compatible, ¿entiendes el punto?, Dios estaba buscando "ayuda adecuada" no un centro de satisfacción sexual para Adán.

Dios creó un hombre y una mujer, no hay terceros, ni cuartos, ni más. Las relaciones sexuales en el orden de Dios son entre hombre y mujer, son relaciones heterosexuales. Estas relaciones no solo son un método de reproducción o de placer, las personas no son objetos para aprovecharse, el sexo es parte de una dinámica de comunión, apoyo, compañía e intimidad, no solamente un parque de diversiones. Los animales se reproducen por instinto, pero los seres humanos establecen relaciones significativas y de valor.

Las relaciones sexuales son parte de esas relaciones y no solo un instinto animal, recuerda usar tu sexualidad de forma humana, no por instinto.

"Por eso dejará el hombre a su padre y a su madre,
y se unirá a su esposa, y los dos llegarán
a ser un solo cuerpo".
Efesios 5:31

La expresión "...llegarán a ser un solo cuerpo", implica una fusión integral. No solo es un acto placentero, tal vez tus hormonas no estén de acuerdo con esto, pero la unión sexual es parte de la unión integral de dos personas que deciden compartir toda su vida juntos, absolutamente toda su vida.

3. **Los placeres del sexo son para disfrutarse en el matrimonio.**

"Honroso sea en todos el matrimonio, y el lecho sin
mancilla; pero a los fornicarios
y a los adúlteros los juzgará Dios".
Hebreos 13:4 (RVR 1960)
"Tengan todos en alta estima el matrimonio y
la fidelidad conyugal, porque Dios juzgará a los
adúlteros y a todos los que
cometan inmoralidades sexuales".
Hebreos 13:4 NVI

El escritor habla de algo llamado: "...el lecho sin mancilla". Estudiando un poco esa expresión en su idioma original, podría traducirse como: "La cama no contaminada". Bueno, lo primero que se me vino a la mente al leer esa frase es que podría servir como título de telenovela, pero más allá de eso, nos da un panorama claro acerca del uso de las relaciones sexuales. El matrimonio es honroso, y las relaciones sexuales dentro del matrimonio también, y no se deben contaminar. Adulterio, es tener relaciones extramaritales, es decir, con alguien que no sea el cónyuge. Fornicación, es tener relaciones sexuales entre solteros. El punto en el texto es interesante, Dios bendice el placer sexual en el matrimonio y debe ser considerado como un estado de mucho valor, es decir, de "alta estima". Cualquier otro esquema de práctica sexual queda fuera del plan y aprobación de Dios: *"...pero a los fornicarios y a los adúlteros los juzgará Dios".*

Además, advierte contra toda contaminación e inmoralidad sexual: *"...Dios juzgará... a todos los que cometen inmoralidades sexuales".* Ese es un término amplio que incluye toda tu sexualidad. La pornografía, las relaciones ilícitas, la seducción inapropiada, las insinuaciones, etc. Todo lo que sea inmoralidad sexual está fuera de la santidad de Dios.

Considera entonces, que las relaciones sexuales están enmarcadas en el desarrollo de una relación de amor, respeto y compromiso permanente llamado MATRIMONIO.

4. **Tus relaciones se rigen por AMOR, no por placer sexual.**

"Los fariseos se reunieron al oír
que Jesús había hecho callar a los saduceos.
Uno de ellos, experto en la ley,
le tendió una trampa con esta pregunta:
—Maestro, ¿cuál es el mandamiento
más importante de la ley?

*—"**Ama** al Señor tu Dios con todo tu corazón, con toda tu alma y con toda tu mente" —le respondió Jesús—.*
Éste es el primero y el más importante de los mandamientos.
El segundo se parece a este:
*"**Ama a tu prójimo** como a ti mismo".*
De estos dos mandamientos dependen toda la ley y los profetas".
Mateo 22:34-40. (Énfasis del autor).

Las reglas también son expresiones de amor aunque a veces no lo parece. Cada mandamiento de Dios está envuelto en una gruesa capa de amor, relleno de amor y sazonado de amor. Dios no es el aguafiestas que quiere echarte a perder la diversión, el anciano de barba larga con un trueno en la mano listo para encontrarte "manoseando" a tu novia y descargarlo sobre ambos, nada que ver, Dios te ama y cuando establece los principios para manejar tu sexualidad lo hace porque te ama. Todos los "HAGAS" y "NO HAGAS" de Dios tienen que ver con amor. Ese es el gran mandamiento, es lo más importante.

De igual manera, nuestra sexualidad debe estar regida por amor y no simplemente pasiones, lujuria o placer. El disfrute del placer sexual se da en un marco de amor y no se usa como medio de placer egoísta y lujurioso. Las relaciones plenas se sostienen por amor y no por el acto sexual. Y por cierto que amor y sexo no necesariamente son lo mismo, ni necesariamente caminan juntos. Cuando tu novio te presiona diciendo que si lo amas debes estar dispuesta a entregarte completamente a él, puede que: primero, está confundido, o segundo, te está manipulando y presionando para desahogar su deseo egoísta de placer sexual contigo, en un marco que aún no les es permitido. Al hacerlo, te pone en peligro, no caigas en esa trampa. El amor sustenta y protege, el verdadero amor cuida al otro para mantenerlo saludable, íntegro y fuerte, no lo expone a riesgos y dolores innecesarios. Tus relaciones deben estar guiadas, protegidas, sustentadas y enriquecidas por amor, no por placer sexual o simplemente atracción física.

5. **Todos los miembros de tu cuerpo son instrumentos de justica.**

"Por lo tanto, no permitan ustedes
que ***el pecado reine en su cuerpo*** *mortal,*
ni obedezcan a sus malos deseos.
No ofrezcan los miembros de su cuerpo al pecado
como instrumentos de injusticia;
al contrario, ofrézcanse más bien a Dios
como quienes han vuelto de la muerte
a la vida, ***presentando los miembros de su cuerpo***
como instrumentos de justicia.
Así ***el pecado no tendrá dominio*** *sobre ustedes,*
porque ya no están bajo la ley sino bajo la gracia".
Romanos 6:12-14

"Hablo en términos humanos, por las limitaciones
de su naturaleza humana. Antes ofrecían ustedes
los miembros de su cuerpo ***para servir a la impureza****,*
que lleva más y más a la maldad; ofrézcanlos ahora
para servir a la justicia que lleva a la santidad".
Romanos 6:19. (Énfasis del autor).

Todos los miembros de tu cuerpo, incluyendo tus órganos sexuales deben ser instrumentos de justicia. ¿Qué significa eso?, no utilices tu cuerpo para hacer lo malo. Que los miembros de tu cuerpo no participen del pecado, más bien, que los órganos y miembros de tu cuerpo solo participen de la justicia, es decir, de lo que agrada a Dios.

Tienes una lucha en contra del pecado sexual y el gran protagonista en esas tentaciones es tu cuerpo. Tus ojos, tus manos, tus genitales, tu mente, etc., querrán participar de todo este bombardeo de hormonas y sensaciones, pero no olvides que tu cuerpo debe mantenerse en el propósito de Dios, en el plan, en el diseño de la sexualidad de Dios.

Evalúa si lo que estás haciendo está dentro del plan de Dios para tu sexualidad, si la respuesta es no, aléjate de allí, no sigas caminando en esa ruta, saca los miembros de tu cuerpo de ese lugar. Deja que el Espíritu Santo te guíe. Masturbación, homosexualidad, sexo fuera del matrimonio, pornografía, cosas como esas llevan tu cuerpo al pecado, a obras de injusticia. Esto te aparta del plan de Dios para tu sexualidad. Sentir un deseo sexual intenso puede ser natural o esperado, caer en la tentación sexual es la batalla en la que Dios y el carácter cristiano deben vencer.

6. **Tu sexualidad debe estar alineada con tu fe y la santidad.**

*"Entre ustedes **ni siquiera debe mencionarse***
la inmoralidad sexual, ni ninguna clase de impureza
*o de avaricia, porque eso **no es propio***
***del pueblo santo de Dios**".*
Efesios 5:3. (Énfasis del autor).

El llamado del apóstol Pablo es contundente y firme, hay cosas que no se toleran entre los hijos de Dios, "... no es propio del pueblo santo de Dios...". De los hijos de Dios se espera un comportamiento diferente. Si tú eres cristiano deja que tus acciones, comportamientos y control de tus deseos se alineen con tu fe; no puede ser que el sábado por la tarde seas una persona en el servicio, pero en la noche del mismo sábado otra con tu novio(a). Tu vida debe estar alineada con tu fe, debe coincidir. Cuida las conversaciones, acciones y desarrollo de tus relaciones, tu vida debe ser el reflejo de tu fe y de la Palabra de Dios, tu comportamiento sexual debe coincidir con tu fe, compórtate como un digno representante del cristianismo. Amigos y amigas, que su sexualidad luzca de la manera que su fe lo indica, que ambos coincidan.

7. **Tu sexualidad debe desarrollarse en un marco de seguridad, no de peligro.**

*"**Huye** de las malas pasiones de la juventud,*
*y **esmérate** en seguir la justicia, la fe, el amor y la paz,*
junto con los que invocan al Señor
con un corazón limpio".
2 Timoteo 2:22. (Énfasis del autor).

Cualquier cosa que ponga en peligro tu integridad sexual debe estar lejos de ti, debes huir de ese lugar. Ya sea en un sentido físico, emocional o espiritual, si es una amenaza a la santidad de tu sexualidad, aléjate de allí o tendrás mucha presión, y esto podría llevarte a una caída.

Tu sexualidad debe desarrollarse en un marco de seguridad. Si hay situaciones, llamadas, lugares, paseos, contactos, modas o visitas que te exponen sexualmente, entonces HUYE de eso. Programas de TV, sitios web, libros, cine, música, amigos, tu ex, aplicaciones, etc. Si algo pone en peligro tu santidad sexual, es mejor que huyas de ello, solo así podrás mantenerte firme y sexualmente santo. Esmérate en seguir lo que es correcto, en practicarlo y conocerlo, sé diligente en crear y mantenerte en una atmósfera de santidad sexual, y si alguna situación expone esa santidad lo mejor es apartarse de allí rápidamente.

Para terminar... No te confundas. Es muy probable que mientras leías los principios anteriores, relacionados con vivir en una sexualidad bíblica, sentías algo en tu estómago que se revolvía, o una voz en tu cabeza que te decía... "ja, ja, ja... ¿es en serio?, esto no es posible, es incompatible con la realidad..., esto no es así, suena puritano, desfasado, fuera de onda, irreal, absurdo, simplemente ¡IMPOSIIIIBLEEEE!". Bueno, te comprendo, tienes toda la razón, y francamente a mí también me pasó eso por la mente. Suena raro y parece desfasado e imposible, pero eso no significa que sea incorrecto. Lo que sucede es que estamos rodeados e invadidos por el pensamiento y diseño del mundo acerca de la sexualidad. Piensas así porque la telenovela te ha dicho lo contrario que la Biblia por años, Hollywood te vendió otra idea, la canción de algún cantante popular te enseñó otra cosa, y porque hasta en las caricaturas se te enseña otro pensamiento. Suena raro porque un político o un escritor famoso dijo lo contrario de la Biblia, también porque en la calle te encontraste con una marcha gay que parecía muy convincente y humana, o porque tu papá, tu primo, tu hermano mayor, tu mejor amigo o tu tía te dijo: "Está bien, eso es bueno y bonito, pero este es otro tiempo, no limites tu juventud o tu libertad".

Como sea, déjame decirte que aunque un millón de personas digan lo contrario, si la Biblia lo dice, ese es el camino correcto. Puede sonar extraño para tu época, pero recuerda que eso no significa que esté equivocado. La Biblia jamás pasa de moda, es el libro de todas las generaciones.

En mucho hemos dejado que el mundo nos diga qué es lo correcto o incorrecto, y hemos aprendido a vivir entre eso y la Biblia. Descartamos o aceptamos según la conveniencia evitando cualquier cuota de riesgo que nos exponga. No lo hagas, sé fiel al principio bíblico y tendrás recompensa y bendición. No dejes que aquella cantante de la tele defina tu agenda y te diga qué es bueno y qué es malo, no lo permitas, sé fiel y firme al principio bíblico y tu camino estará lleno de satisfacción.

Recuerda lo que dice la Biblia: "No se amolden al mundo actual, sino sean transformados mediante la renovación de su mente. Así podrán comprobar cuál es la voluntad de Dios, agradable y perfecta". Romanos 12:2. No dejes que el mundo ponga molde a tu cabeza y sexualidad, deja que el Espíritu transforme tu mente para ver las cosas a su manera, te darás cuenta de que él te ayudará y que sí es posible vivir en su diseño y propósito. Lo mejor, es que vivirás agradando a Dios haciendo su voluntad y no la de alguien más, y eso incluye tu novio(a), amigos(as) y quien sea.

Los siete principios anteriores nos dan una luz acertada y completa del propósito de Dios para tu sexualidad, acercarse a esos principios es acercarse a una vida sexualmente santa, alejarte de ellos te pone en peligro. Toma esos principios y analízalos; haz aplicaciones, memorízalos, revísalos constantemente, compáralos, tenlos en mente cuando encuentres tentaciones o situaciones que involucren tu sexualidad y necesites dirección y respuestas.

No los olvides:

1. La sexualidad es un don de Dios y es bueno.
2. El sexo va más allá de ser un instrumento de placer.
3. Los placeres del sexo son para disfrutarse en el matrimonio.
4. Tus relaciones se rigen por AMOR.
5. Todos los miembros de tu cuerpo son instrumento de justicia.
6. Tu sexualidad debe estar alineada con tu fe y la santidad.
7. Tu sexualidad debe desarrollarse en un marco de seguridad, no de peligro.

CAPÍTULO 3

¡¡¡ALERTA!!! TENTACIÓN SEXUAL A LA VISTA

Debemos conocer nuestras debilidades y cuidarnos de ellas.
El deseo alocado por tocar, hacer o tomar lo que no es permitido es lujuria.
Para vencer la tentación sexual no alimentes tu lujuria y a tu carne.
No serás tentado más allá de tu capacidad o de lo que soportes,
y además recibirás la salida.

Carlos Navas

Reconócela, huye de ella y la derrotarás

"*¡No sé qué más hacer!, tengo miedo, hago cosas que están mal. De verdad he tratado de detenerme, lo he hecho. He llorado y suplicado en las noches, he vencido por unos días, tal vez por unas semanas, pero luego vuelvo a caer. He orado, he leído libros, he leído la Biblia, la verdad no sé qué más puedo hacer. Amo a Dios, pero no puedo continuar pidiendo perdón una y otra vez por lo mismo. Necesito ayuda pero no sé cómo tenerla. Sé que Dios tiene mucho más planeado para mi vida que esto, pero este pecado sigue venciéndome".* ¡Qué mensaje verdad!, me lo envió un joven que obviamente está pasando un mal momento con la tentación sexual y no parece que esté ganando la batalla. Las tentaciones sexuales están a la orden del día, la juventud se debate con ella a diario y honestamente no creo que termine pronto. Cuando tu cuerpo se transformó, comenzó esta batalla que durará por décadas, muchas décadas.

Si de verdad hay algo desalentador es perder la batalla contra la tentación sexual. Hace tambalear tu fe como pocas cosas la pueden hacer tambalear. Tu pasión espiritual queda casi aniquilada y la culpabilidad es una tortura permanente y sin piedad, la vergüenza te ahoga, te sientes como un hipócrita, indigno, y lo peor es que no encuentras la manera de arreglar el asunto.

Pero levanta la cabeza y la esperanza, tengo buenas noticias: la tentación sexual se puede vencer. Claro que puedes hacerlo, veamos juntos algunas alternativas y salidas para vencer la tentación sexual y tener una mejor perspectiva de una vida sexualmente santa.

Tentaciones sexuales ¿de dónde vienen?

Comencemos por definir de qué estamos hablando, para saber de qué debemos cuidarnos. ¿Cuál es el origen de las tentaciones sexuales?, ¿cómo las enfrentamos? Conocer a nuestro enemigo nos pone en una mejor perspectiva para vencerlo.

¿Qué son? Son todas aquellas circunstancias que te quieren llevar a vivir una sexualidad alejada del propósito y diseño de Dios. Su objetivo como toda tentación, es hacerte caer en pecado. Cualquier situación, relación, actividad, conversación, etc., que te esté empujando al pecado en tu sexualidad, es peligrosa y debes alejarte de allí rápido.

¿De dónde vienen?

"Que nadie, al ser tentado diga: "Es Dios quien me tienta. "Porque Dios no puede ser tentado por el mal, ni tampoco tienta él a nadie. Todo lo contrario, ***cada uno es tentado cuando sus propios malos deseos lo arrastran y seducen****. Luego cuando el deseo ha concebido, engendra el pecado; y el pecado, una vez que ha sido consumado, da a luz la muerte".*

Santiago 1:13-15. (Énfasis del autor).

Eres tentado de lo que tus malos deseos quieren tener. Son tus propios malos deseos los que te seducen, esa es la concupiscencia, es decir, la tendencia muy particular que cada uno tiene hacia el pecado.

Todos tenemos una tentación que nos hace temblar, esos son nuestros propios malos deseos. Imagínate esta escena, una mujer atractiva entra a la iglesia, su vestuario es seductor y es casi imposible que pase por desapercibida. Cuando entra a la iglesia, el "hermanito" servidor queda aturdido, la mira de pies a cabeza por el frente y la retaguardia y por los siguientes tres días no podrá quitar la imagen de su cerebro, su lujuria estará de fiesta con lo que vio. Por otro lado, la "hermanita" servidora que está en la puerta de la iglesia junto al "hermanito" recibiendo a las personas, cuando vio aquella escena, en su corazón envió al infierno a aquella mujer y la condenó a una eternidad en compañía del diablo y los demonios, por vestir "así", en la casa de Dios. En realidad la envidia y su espíritu "criticón" la están consumiendo una vez más. ¿Cuál de los dos servidores de la iglesia pecó? Exacto, ambos pecaron, cada uno de sus propios malos deseos, de su concupiscencia, su tendencia personal para ser seducidos por la tentación hacia el pecado.

Entonces piensa un poco ¿cuáles son las áreas en tu vida que te impulsan al pecado?, ¿imágenes, pornografía, conversaciones seductoras, deseo compulsivo de tener sexo, tus ojos que se salen cuando ves a una chica o un chico?, cada uno es tentado por su propia debilidad.

Debemos conocer nuestras debilidades y cuidarnos de ellas. Si tú sabes cuáles son las áreas débiles en tu vida, entonces debes cuidarte de eso, no te acerques a esos campos en donde sabes que serás confrontado para pelear y vas a temblar. Ten en mente esto, en el terreno de la tentación se pone en evidencia y a prueba lo más débil de nosotros, por eso debemos permanecer lejos de la tentación. En el terreno de la tentación estamos en desventaja, porque es lo más débil de nuestro corazón lo que estará guiando la ruta. Si hablar con tu ex te expone, si ver la televisión en ciertos horarios te expone, si salir con algunas personas te expone, si estar a solas con tu novio(a) te expone, si tener la computadora en tu cuarto te expone, entonces aléjate de eso y no juegues a derribar gigantes en ese momento. En el terreno de la tentación estamos en desventaja.

Aquí es donde la historia clásica de José en la Biblia vuelve a saltar y brillar (Génesis 39): Cuando José estaba con la esposa de Potifar no pensó: "Está bien es el momento de enfrentar este gigante en el nombre de Jesús, diablo desgraciado hoy sabrás quien soy yo", ¡no!, él huyó, corrió, escapó, recuerda esto: hay quienes huyen como cobardes, pero también se huye como valiente. Eres valiente cuando sabes que ir a cierto lugar o salir con alguien te expone al pecado sexual y no lo haces, evitas la situación. Te felicito, estás corriendo tras una vida sexualmente santa.

Aquella joven escribió a una de mis redes sociales. Su historia era el caso del novio que la dejó y quedó destrozada, súmale el ingrediente de que habían tenido relaciones sexuales. Ella estaba destruida y con pocas fuerzas, pero dispuesta a volver a comenzar con su vida. La animé y le dije que entendía su dolor, pero debía seguir adelante. Unas semanas después me escribió para decirme que su ex se había comprometido para casarse con alguien más. El dolor se mezcló con ira, y se convirtió en frustración. A pesar de todo, me comentó que en la iglesia las cosas estaban mejorando, había restablecido su comunión con Dios, estaba de nuevo en la reunión y por ese lado tenía paz, algo que hacía tiempo no experimentaba. Las semanas pasaron y él la buscó, adivina qué quería. Tenemos a este tipo, comprometido con alguien y buscando a su ex para pedirle que le acompañe a su casa. Obviamente la idea no era tener una reunión de oración o dirigir la célula, se trataba de sexo, siempre se trató de eso. Ella se sentía seducida, y me escribió con tono de desesperación porque quería estar con él, sin embargo no cedió a la propuesta. Avancemos y terminemos esta historia. Él insistió varias veces, no aceptaba que ella dijera "NO", finalmente accedió y pasó lo que tenía que pasar, tuvieron relaciones sexuales una vez más. Ella me escribió destruida y totalmente desvalorizada. Él volvió a rechazarla y nos acercamos al triste desenlace. La última vez que escribió fue para decirme que estaba embarazada y no sabía cómo enfrentar el asunto, su único deseo era suicidarse. Me angustié y le dije que debíamos reunirnos. Nunca más he vuelto a saber de ella, no sé qué pasó, espero que no haya pasado lo peor, no sé nada más, todo se desplomó en su vida. Hay un momento en donde debes correr, correr como valiente, no hay alternativa, debes hacerlo, no juegues con el pecado, porque el pecado jamás ha hecho algo bueno por alguien:

"¿Puede alguien echarse brasas
en el pecho sin quemarse la ropa?
¿Puede alguien caminar sobre las brasas
sin quemarse los pies?
Pues tampoco quien se acuesta con la mujer ajena
puede tocarla y quedar impune".
Proverbios 6:27-29

¿Cuáles son tus tentaciones sexuales?, ¿quién es tu debilidad en la sexualidad? Masturbación, fantasías, pornografía, Internet, tu novio(a), fornicación, homosexualidad, lo que ves, lo que oyes; reconócelas, huye de ellas y las derrotarás.

Este asunto de la tentación sexual tiene mucho que ver con una palabra: **lujuria.** El deseo sexual en sí mismo no es el problema, la sexualidad como lo dijimos anteriormente es parte del diseño de Dios para ti, pero la lujuria se ha apropiado de la sexualidad y debemos separarlas.

¿Qué es lujuria?

Si lo ponemos sencillo, es un apetito sexual más allá del diseño de Dios, un impulso o deseo sexual que Dios no te permite. Tiene que ver con desear lo que no tienes y no debes tener. Tu concupiscencia está relacionada con este deseo, ¿qué es aquello que tú deseas en el campo de la sexualidad y sabes que Dios no te permite? Cada día estoy más convencido de que la lujuria es un león que esta generación deberá enfrentar. Las miradas reflejan lujuria, las conversaciones también, las imágenes en la pantalla, una revista o en la Internet encuentras un apetito sexual no permitido. El deseo alocado por tocar, hacer o tomar lo que no te es permitido es lujuria. Ese deseo compulsivo de actuar inmediatamente para estar con ese chico que te gusta, ese impulso sin control por masturbarte cada hora, etc.

Podría decir que hay niveles de deseo, de atracción, de interés y hasta curiosidad. La lujuria supera esa medida, es una muestra desmedida y obsesiva de ese deseo, algo que domina tu voluntad, tus pensamientos, tus ideas, tus relaciones, tu fe y te llevan al pecado sexual.

¿Qué hacemos para controlarla y dominarla?

El conflicto de la tentación

Caminemos al lado de nuestro buen amigo Pablo en su escrito a los Romanos capítulo 7, para comprender y descurbrir la manera en que podemos enfrentar la tentación sexual.

"Sabemos, en efecto, que la ley es espiritual. Pero yo soy meramente humano, y estoy vendido como esclavo al pecado".
Romanos 7: 14

En este versículo Pablo reconoce algo importante: "la ley es espiritual", lo que significa que el diseño de Dios es correcto, pero en nuestra naturaleza humana somos débiles y nuestra carne es esclava del pecado y se rinde al pecado. La carne no tiende hacia lo correcto, el espíritu contra la carne, el conflicto de todos los tiempos. El pecado sexual está a la orden del día, y la carne es atraída por él. Sigamos con el texto:

"No entiendo lo que me pasa, pues no hago lo que quiero, sino lo que aborrezco..., yo sé que en mí, es decir, en mi naturaleza pecaminosa, nada bueno habita. Aunque deseo hacer lo bueno, no soy capaz de hacerlo. De hecho, no hago el bien que quiero, sino el mal que no quiero. Y si hago lo que no quiero, ya no soy yo quien lo hace sino el pecado que habita en mi".
Romanos 15-20

Cuánta frustración encuentro en aquellos que luchando contra la masturbación, han contado 47 días desde la última vez y el día 48 algo pasó y volvió a suceder. Se desploman, se deprimen, se desactiva el modo de victoria y batalla, caen en el más profundo agujero de frustración, humillación y culpabilidad. Lo peor es que llegan a la terrible conclusión de: "Soy malo, soy el problema y no hay nada qué hacer para cambiar eso, soy indigno, no hay esperanza, el castigo es inminente, lo perdí todo"..., mmmm, enfoque incorrecto.

Pablo nos da una luz. El apóstol nos muestra su deseo de hacer lo correcto, así como la incapacidad de cumplirlo: *"No entiendo lo que me pasa, pues no hago lo que quiero, sino lo que aborrezco", ¿te parece familiar esa actitud y palabras?* Luego llega a una conclusión: *"... no soy yo quien lo hace sino el pecado que habita en mi..."*. ¿Por qué esa conclusión es importante?, porque hay algo malo en ti, pero tú no eres malo. No estoy evadiendo responsabilidad, ni dejando a un lado el arrepentimiento, pero la culpabilidad te lanza a la lona y te aplasta, te ves como el peor ser sobre esta tierra y desde esa perspectiva no te vas a levantar nunca. Lo sé porque he visto eso muchas veces en buenos cristianos que están luchando con hábitos pecaminosos y de repente caen, se ven tan miserables que nunca encuentran la manera de levantarse. Ten en mente que "culpabilidad" y "sentimiento de culpabilidad" no son lo mismo. El primero es una falta fundamentada en una regla no cumplida, el segundo es una atadura que te aprisionará a pesar de que Cristo ya te perdonó.

Cuando tienes una herida en el dedo pulgar del pie derecho, no es todo tu cuerpo el que tiene el problema, es un dedo de tu pie derecho. Considerar tu cuerpo una basura por ese dedo sería injusto e innecesario, arregla tu dedo y sigue adelante. Arregla el asunto de la masturbación y sigue adelante, tú no eres malo, hay una naturaleza humana que quiere hacer lo que le da la gana, pero también en tu espíritu quieres agradar al Señor. Que la culpa no te hunda, levántate y vuelve a empezar.

Pablo sigue escribiendo:

"Así que descubro esta ley: que cuando quiero hacer el bien, me acompaña el mal. Porque en lo íntimo de mi ser me deleito en la ley de Dios; pero me doy cuenta de que en los miembros de mi cuerpo hay otra ley, que es la ley de pecado. Esta ley lucha contra la ley de mi mente, y me tiene cautivo. ¡Soy un pobre miserable! ¿Quién me librará de este cuerpo mortal? Gracias a Dios por medio de Jesucristo, nuestro Señor. En conclusión, ***con la mente yo mismo me someto a la ley de Dios, pero mi naturaleza pecaminosa está sujeta a la ley del pecado****".*

Romanos 21-25. (Énfasis del autor).

La tentación es un conflicto entre la carne y el espíritu. Esta batalla se debate entre lo correcto y lo que quiere tu carne; lo que tu propio deseo busca y lo que el Espíritu de Dios te permite y acepta. ¿Comprendes la batalla?, tú sabes qué es lo correcto y sabes qué es lo que debes hacer, pero tu naturaleza humana (tu carne) quiere ser satisfecha. Comprender este conflicto te ayudará mucho para definir en dónde tienes que enfocar tu ataque. Comprender eso te ayuda para saber qué hacer a pesar de lo que tu carne, tus amigos, tu novio, el artista de moda, tu mente o tu cuerpo quieran hacer.

Hay un conflicto entre la carne y el espíritu, y tú debes hacer lo correcto, no lo que quieres o lo que alguien más quiera. Entremos en esta escena, Pablo y Claudia están solos, el tono de la cita está subiendo, un beso por acá y otro más, las caricias se están volviendo más intensas y el conflicto comienza. Ellos saben lo que deben hacer: detenerse y huir del terreno de la tentación, pero ¿cómo detener ese bombardeo de hormonas y sensaciones tan placenteras?, ¿cómo huir de un lugar en el que te gusta estar? La carne quiere más, su lujuria pide satisfacción, el Espíritu les dice que están en terreno peligroso, que la trampa está lista y deben tomar decisiones con base a lo correcto y no lo que quieren, ellos por fuera están volando entre caricias y besos pero por dentro el Espíritu les dice: "Están cayendo en la escalera de la pasión y deben decidir". Ella piensa: "Lo que quiero hacer no hago, y lo que no quiero hacer eso hago, ¿cómo voy a salir de aquí?". Está en el conflicto de la tentación sexual, aquí debe decidir por lo correcto, por el diseño de Dios para su sexualidad, así sea que mil voces a su alrededor digan lo contrario.

Recordemos lo que Pablo escribió: "Sabemos, en efecto, que la ley es espiritual. Pero yo soy meramente humano, y estoy vendido como esclavo al pecado". Romanos 7:14. El apóstol nos muestra que la ley es espiritual, pero nosotros somos de carne, y nuestra carne (debilidad) está esclavizada al pecado, y eso nos mete en el problema. Ese es tu conflicto, aquí es donde debes evitar llegar, pero si llegas, comprende por qué estás en ese conflicto y cómo debes actuar. No esperes no estar en conflicto porque eso no sucederá, y no te culpes por el conflicto porque es inevitable, pelea por fortalecer al espíritu para que tu carne que pide hacer lo incorrecto se debilite para hacer la voluntad de Dios. Y cuando estés en la batalla, pase lo que pase, haz lo correcto, aférrate al diseño, aunque tu carne pida otra cosa, haz lo correcto. Repito: "***haz lo correcto, no lo que quieres***".

Una cosa más. El problema se presenta cuando no logramos alinear lo que sabemos con nuestra conducta. La mayoría sabe lo que es bueno y malo en cuanto a la sexualidad, el problema es no lograr actuar conforme a lo que saben, y allí es cuando fallan.

El más fuerte vencerá

"...pues por medio de él ***la ley del Espíritu****...*
me ha librado de ***la ley del pecado...****".*
Romanos 8: 2. (Énfasis del autor).

El Espíritu y la carne son contrarios, son términos excluyentes, uno contra el otro, si uno es débil el otro será fuerte, y el más fuerte vencerá. Por medio del Espíritu vencemos a la carne, la ley del Espíritu vencerá a la ley del pecado.

Seguimos con la carta de Pablo a los Romanos, ahora en el capítulo 8, adelante Pablo:

"Los que viven conforme a la naturaleza pecaminosa ***fijan la mente en los deseos de tal naturaleza****; en cambio, los que viven conforme al Espíritu* ***fijan la mente en los deseos del Espíritu. La mentalidad pecaminosa es muerte****, mientras que* ***la mentalidad que proviene del Espíritu es vida y paz****. La mentalidad pecaminosa* ***es enemiga*** *de Dios, pues no se somete a la ley de Dios, ni es capaz de hacerlo. Los que viven según la naturaleza pecaminosa no pueden agradar a Dios. Sin embargo, ustedes* ***no viven según la naturaleza pecaminosa sino según el Espíritu****, si es que el Espíritu de Dios vive en ustedes".*
Romanos 5-9. (Énfasis del autor).

"Porque si ustedes viven conforme a ella, morirán;
pero ***si por medio del Espíritu dan muerte***
a los malos hábitos del cuerpo, vivirán".
Romanos 8-13. (Énfasis del autor).

¡*Wow!*, qué versículos! La batalla es clara: "la carne vs. el Espíritu", ¿quién ganará?... **EL MÁS FUERTE**. La gran noticia es que puedes vivir sexualmente santo, puedes vencer a la carne, al mundo, al pecado, ¡puedes hacerlo! "Los malos hábitos del cuerpo" pueden ser derrotados, ¡claro que se puede!

En esta batalla el más fuerte vencerá. Si tu carne es fuerte, entonces las tentaciones sexuales vencerán, si el Espíritu es fuerte, entonces la voluntad de Dios se impondrá. Alimentando tu vida espiritual puedes vencer la tentación sexual. Si no alimentas la carne, esta se debilita y la tentación sexual es inefectiva, te recuerdo que la tentación en sí misma no es pecado, caer en ella sí lo es. No te frustres por tener tentaciones sexuales porque las tendrás, es más, todos las tenemos, esfuérzate por no caer en esas trampas.

Fortalece tu vida espiritual, ora cada día, escucha música que adora a Dios, ayuna, desarrolla relaciones con personas que sumen a tu fe, lee buena literatura con principios bíblicos, escucha mensajes cristianos, no dejes de congregarte, mantén una actitud de comunión con Dios durante el día, memoriza versículos bíblicos, todo eso fortalece tu espíritu y en esta batalla el más fuerte gana.

Tú seguramente lo has experimentado, en esos momentos en que tus niveles de fe y comunión con Dios han estado arriba, ha sido fácil ignorar la voz de la tentación y seguir adelante. Aléjate de la pornografía, de las imágenes seductoras, de conversaciones y relaciones que alimentan tu lujuria, huye de las pasiones y provocaciones sexuales, estar lejos de eso debilita tu carne, y el más débil pierde la batalla. En fin, fortalece el espíritu y debilita la carne, y cuando el conflicto inevitable se presente, estarás en una mejor posición para vencer y luchar. Tú tienes la salida y la victoria en tus manos, no el pecado, no la tentación, no tu carne, trabaja en eso, te lo diré una vez más, trabaja en eso y tendrás mejores resultados.

Mátala de hambre

"Andemos como de día, ***honestamente****; no en glotonerías y borracheras, no en lujurias y lascivias, no en contiendas y envidia, sino vestíos del Señor Jesucristo, y* ***no proveáis para los deseos de la carne****".*

Romanos 13:13-14 (RVR 1960). (Énfasis del autor).

No proveas para tu carne. Para vencer la tentación sexual, no alimentes tu lujuria y a tu carne, de lo contrario será más fuerte y te vencerá. ¿Qué haces viendo esos videos, escuchando esas canciones, viendo esas películas, participando de esas conversaciones, saliendo con esos amigos que te llevan a lugares en donde tu carne se fortalece?... No alimentes tu carne, no le prepares un banquete a tu lujuria. Identifica esos momentos y pregúntate ¿estoy preparando alimento para mi lujuria? Hablo de las decisiones diarias que tomas: lo que ves, lo que escuchas, a dónde asistes, etc. Cuídate de todo lo que esté alimentando tu lujuria, aléjate de eso, ¡MÁTALA DE HAMBRE! Sí, mata de hambre a la lujuria, no proveas para los deseos de tu carne.

Recibí el mensaje de este joven, me contó lo harto que estaba de estar haciendo cosas que no me atrevo a contarte en este libro, era grotesco lo que hacía con su sexualidad y él estaba harto de hacerlo pero no sabía cómo salir. Indagué en sus redes y encontré música y cantantes lujuriosos entre sus favoritos, películas cargadas de seducción sexual y temas místicos como hechicería y brujería. Entre sus contactos había gente cargada de lujuria y homosexualidad (sus fotos lo reflejaban), luego le escribí: "¿Cómo pensaste que podías meter tanta basura en tu mente y que no hubiera consecuencias?". Él estaba alimentando a su carne, y su carne era tan fuerte que aunque él quisiera hacer lo correcto no tenía la fuerza para derrotar a ese campeón de peso completo llamado "la carne".

Es hora de "sitiar" a la lujuria

Quédate muy lejos de lo que alimenta las tentaciones sexuales que debes vencer. Déjalas que se mueran de hambre, quítales la comida. Considera algunos de estos "restaurantes" de la carne:

- **Horario.** ¿A qué horas eres más vulnerable a la tentación sexual, en la noche o en la madrugada? A esas horas no le des alimento, cuídate de lo que sucede en esos horarios.
- **Lugares.** ¿Dónde estás teniendo problemas con la tentación sexual, en tu cuarto, en el baño, en el cine, en la casa de tu novio(a), en la casa de una amiga, en el gimnasio? Aléjate de esos lugares, no alimentes tu deseo, esos lugares deben ser tratados con especial cuidado.
- **Televisión.** Cuidado con los programas e imágenes que son vitamina a tu lujuria.

- **Contenidos.** Ya sea por lo que lees o por las imágenes que ves, no alimentes tu carne con contenidos tóxicos para tu sexualidad.
- **La calle**. Bueno, afuera hay mucho que ver, sé radical y no des espacio a tu carne en las calles.
- **Música**. Ritmos y letras sensuales alimentan tu carne, no escuches algo que el Espíritu Santo no escucharía.
- **Libros.** Hay temas que ensucian tu mente. Ten cuidado con la literatura que te enseñe principios que no están alineados con el diseño de Dios para tu sexualidad.
- **Aplicaciones e Internet.** En la red hay millones de trampas para tu sexualidad, tú sabes dónde puedes navegar, dónde puedes entrar y dónde no. Cuídate de lo que sucede en tus redes "sexuales", digo, "redes sociales" y aplicaciones.
- **Amistades.** Tus amigos y amigas, ¿son un apoyo o debilidad para tu sexualidad, te presionan para hacer cosas que no quieres o no debes?, ¿qué tipo de consejos o propuestas encuentras en tus amigos? No dejes que ellos alimenten tu carne. Busca amistades que estén luchando por vivir bajo principios bíblicos en todas las áreas de su vida.

Aléjate de estas cosas y no sigas alimentando tu lujuria.

¿Con qué me defiendo?

¿Con qué cuentas para alimentar al espíritu y estar en una mejor posición para enfrentar la tentación sexual? Veamos algunas opciones:

- **La Palabra, tus convicciones y valores.**
  Mateo 4:1-11.

Jesús enfrentó las tentaciones con tres armas: la Palabra, la convicción de que era el Hijo de Dios y los valores que lo definían. Enfrenta la tentación con esas armas, debes conocer la Palabra de Dios, en ella encontrarás principios y promesas en contra de la tentación y a favor de tus convicciones, la Palabra fortalece tu fe. Tus convicciones y valores son reglas que definen tu caminar, definen lo que es correcto de lo que no lo es, vive esos valores por encima de cualquier deseo. Memoriza versículos bíblicos que fortalezcan tu espíritu y que sirvan para cuando vengan los momentos de tentaciones, ese es el momento para disparar esos versículos bíblicos contra el tentador. Mírate como un hijo de Dios y en el momento de la prueba lucharás por mantenerte en esa posición.

- **Determinación.**
  Santiago 4:7.

Tu determinación por mantenerte sexualmente santo, tu firmeza contra la tentación sexual, tu decisión por hacer lo correcto y mantenerte en obediencia a Dios son actitudes que fortalecen tu vida y debilitan la obra y efectividad del pecado.

- **Sé radical.**
  Efesios 5:3-5.

El apóstol Pablo escribió: *"Entre ustedes ni siquiera debe mencionarse la inmoralidad sexual...".* (Efesios 5.3). No des lugar a ninguna cosa que te exponga a esas tentaciones. Bromas, vulgaridades, pequeñas escenas, etcétera, no las toleres. Sé radical con este asunto y tu espíritu estará fuerte para pelear, tal vez para el mundo puedas parecer ridículo con esta actitud, pero la gente determinada es la que alcanza las grandes victorias y conquistas. Tu firmeza al final te dará paz, triunfos, satisfacción personal y admiración de otros, eso es lo que vale la pena.

- **Deja que el Espíritu Santo tome el control de tu vida. Gálatas. 5:22-25.**

Dale espacio a la influencia del Espíritu Santo. Cumple con tu devocional, congrégate, lee tu Biblia, adora, escucha mensajes y música que exalte a Dios y los valores bíblicos. La obra del Espíritu es contraria a la carne, deja que el Espíritu tome más espacio en tu vida, deja que él tome el control.

- **Encuentra el deleite de estar en paz y comunión con Dios. Salmo 43:4; Sal. 119:4.**

Fortalece tu vida espiritual y disfruta de la presencia de Dios. El placer del pecado nunca será mayor que el placer de disfrutar la presencia de Dios y de estar en paz con Él. Nada como tener tu alma libre de cuentas pendientes y saldos rojos, llegar al final del día sin remordimientos ni dolor. Terminar la jornada sin tener algo de qué arrepentirte es delicioso, levantarte en la mañana sin acusaciones es deleitoso. Encuentras deleite cuando puedes disfrutar de una comunión con Dios libre y en paz, eso es placer, te lo garantizo; allí es cuando disfrutas su Palabra y la oración se vuelve placentera.

- **Simplemente di "NO".**
  Josué 24:14-15; Mateo 5:37.

Bueno, este asunto es directo: **no cedas.** No importa cuánto alguien insista o te presione, no importa cuántas oportunidades tengas, SIMPLEMENTE DI QUE NO y eso es todo. Si otros quieren ceder o considerarlo, que lo hagan, pero tú ya tomaste tu decisión y no te muevas de allí. Tu decisión por vivir sexualmente santo debe ser respetada por tus amigos, novio(a), familia y por ti.

- **Rodéate de gente que te ayude a pelear esta batalla.**
  Gálatas 6:2; 2Timoteo 2:22.

Rinde cuentas a alguien, busca buenos consejeros, acércate a otros jóvenes que se esfuercen en la santidad, habla con tus padres, ellos te aman y se preocupan por ti, habla con tus líderes. Necesitarás todo el apoyo posible para salir adelante con la tentación sexual. Si estás solo será más difícil.

- **Sin duda toma la mano de Dios.**
  Salmos 60:12; 2 Samuel 22:30.

Él es el único que te puede sacar adelante de estas tentaciones. Solo el Señor podrá sostenerte, librarte y perdonarte para vivir una sexualidad según su diseño. Él te dará la fuerza, la sabiduría, el discernimiento, la capacidad, etc. Solo el Espíritu de Dios puede darnos la gracia para vencer, no te alejes de su presencia, toma su mano muy fuerte y pase lo que pase no la sueltes. Reconoce que tú no puedes y que es Dios quien te da la gracia para vencer.

- **Nuca dejes de ver la parte oscura del pecado sexual.**
  Proverbios 23:31-32.

La parte deleitosa nos cautiva y seduce, pero los remordimientos, riesgos y dolor que vienen después son peores. David disfrutó sin duda de las caricias de Betsabé, pero cuando todo se complicó, el pecado comenzó a destruirlo y consumirlo. Cuando finalmente el niño, fruto de su relación con aquella mujer, murió, él había derramado todo cuanto su alma podía derramar, lloró su pecado y en ese momento todo aquel placer se convirtió en una pesadilla y lamentos. Aunque disfrutes un momento de placer en tu carne, te aseguro que tu alma quedará desnuda y expuesta, el remordimiento unido con el dolor será peor que cualquier placer que pudiste disfrutar, aunque no lo creas así será.

No olvides que el pecado nunca ha hecho algo bueno por el ser humano. Y lo peor es cuando vienen las consecuencias del pecado, te aseguro que todo el placer que pudiste disfrutar se convertirá en amargura, preocupación, angustia, dolor y confusión, aborrecerás aquello que tanto habías disfrutado.

ARMAS PARA VENCER LA TENTACIÓN SEXUAL	
ALÉJATE DE LO QUE ALIMENTA LA TENTACIÓN SEXUAL	**ALIMENTA TU ESPÍRITU**
Horarios	La Palabra, tus convicciones y valores. Mateo 4:1-11.
Lugares	Determinación. Santiago 4:7.
Televisión	Sé radical. Efesios 5:3-5.
Contenidos	Deja que el Espíritu Santo tome el control de tu vida. Gálatas. 5:22-25.
La calle	Encuentra el deleite de estar en paz y comunión con Dios. Salmo 43:4; Sal. 119:4.
Música	Simplemente di "NO". Josué 24:14-15; Mateo 5:37.
Libros	Rodéate de gente que te ayude a pelear esta batalla. Gálatas 6:2; 2Timoteo 2:22.
Aplicaciones e Internet	Sin duda toma la mano de Dios. Salmos 60:12; 2 Samuel 22:30.
Amistades	Nunca dejes de ver la parte oscura del pecado sexual. Proverbios 23:31-32.

Cerremos este episodio.

"Ustedes no han sufrido ninguna tentación que no sea común al género humano. Pero Dios es fiel, y no permitirá que ustedes sean tentados ***más allá de lo que puedan aguantar.*** *Más bien, cuando llegue la tentación,* ***él les dará también una salida*** *a fin de que puedan resistir".*
1 Corintios 10:13. (Énfasis del autor).

La buena noticia de hoy es que sí puedes vencer, esa batalla no te supera, Dios no lo permitiría. Las tentaciones sexuales no deben mantenerte en pánico, frustración o desilusión; debes seguir adelante y seguir batallando. Dios te ha dado la capacidad de vencerlas, no serán fáciles pero tampoco imposibles.

No dejes que la culpabilidad o el placer ilícito te derroten, debes mantenerte en la batalla por vivir "sexualmente santo". No serás tentado más allá de tu capacidad o de lo que soportes y además recibirás la salida. Esa presión que estás sintiendo se puede dominar, ese deseo compulsivo se puede vencer, vuelve tu mirada a los cielos, busca a Dios y de allí vendrá tu socorro, con la tentación también viene la salida; hay una salida, entiéndelo: ¡hay una salida!, y debes encontrarla, la encontrarás, simplemente sigue adelante con fe.

CAPÍTULO 4

VIEJAS Y NUEVAS TRAMPAS DE LA SEXUALIDAD

El enemigo diseña estrategias
y calcula trampas para hacernos caer,
pero Dios da segundas oportunidades.
Carlos Navas

Cosas de las que debes cuidarte

"...para que Satanás no se aproveche de nosotros, pues ***no ignoramos sus artimañas****".*
2 Corintios 2:11

Siempre habrá una nueva artimaña planificándose para hacerte caer en el pecado sexual. Cada día nos sorprendemos con las acciones, ideas, imágenes y ofertas que una sociedad enferma de sexo te presenta para vivir fuera del diseño de Dios en tu sexualidad, el mundo y el enemigo quieren impedir que vivas sexualmente santo. Aunque el versículo al inicio de este capítulo tiene que ver con las discordias entre los hermanos, algo es seguro: Satanás es un maquinador malicioso. El enemigo diseña estrategias y calcula trampas para hacernos caer, tanto en la armonía entre los hermanos como en la sexualidad. Satanás quiere alejarnos de la pureza sexual y hacernos caer en pecado. Utilizará al mundo, nuestra carne, la debilidad de carácter y lo que sea para derrumbarnos, no ignoremos sus artimañas.

Revisemos algunas de las artimañas o trampas que Satanás ocupa para hacerte caer en el campo de la sexualidad.

Reconozco que estás sometido a una estimulación continua y contundente, repito, continua y contundente, y esto hace que la batalla sea complicada. Es un bombardeo despiadado, todos los días, todo el día. El menú se incrementa a diario, y por lo tanto, mantenernos actualizados con esto es simplemente imposible. Así que, lancemos una mirada panorámica a estas trampas, y luego mantente alerta porque vienen más. ¿Cuáles son algunas de las viejas y nuevas artimañas que satanás usa para hacerte caer?, veamos:

1. **Anuncios publicitarios.** No miento si digo que buena parte de los anuncios en TV, revistas, periódicos, Internet y otros, están siendo presentados con escenas o imágenes eróticas y seductoras cuyo propósito es capturar tu atención, y al tener tu atención incluirá una cascada de estímulos a tu sexualidad. Ten cuidado porque aún eso es parte de las maquinaciones.

2. **Literatura.** Literatura electrónica o en papel que va desde novelas, dramas, artículos, noticias, "comics", temas deportivos y hasta investigaciones científicas que incluyen materiales seductores o conceptos sobre la sexualidad fuera del propósito bíblico. Imágenes provocativas, estudios y estadísticas sobre prácticas y hábitos acerca de la sexualidad que sirven de estímulo para una lujuria desbordada. Estos materiales además de estimular tu apetito sexual, si te guían en un sentido fuera del plan de Dios, aléjate de eso. Y obviamente, no podemos dejar de mencionar los materiales estrictamente pornográficos que debes desecharlos de manera contundente.

3. **Música.** Una de las artimañas más efectivas. Lo primero que quiero decir es que algunos le dan tanto crédito a lo que la letra de una canción dice, que se dejan persuadir por ella. Algunas de estas canciones incitan a la infidelidad, al sexo libre, a probar experiencias, a romper las reglas, etc. Sólo porque lo dice el cantante de moda o se escucha en una radio de alto *rating*, no le des estatus de autoridad calificada a las opiniones o recomendaciones acerca del manejo de tu sexualidad. Déjame decirte lo que le digo a mis hijos: "Solo porque aparezca en la televisión o lo diga un artista reconocido, no significa que sea lo

que te conviene o que sea la verdad, tu regla de vida es la Biblia, ella define lo que es correcto y lo que no es". Un lenguaje erótico, más imágenes que te excitan se convierten en una bomba de seducción, esa es la mezcla tóxica de los videos musicales. Cuídate de los ritmos sensuales y las letras seductoras y provocativas de algunas canciones, no ignoremos las maquinaciones del enemigo en estas trampas. Un ritmo seductor + imágenes seductoras + una letra seductora = una bomba de estimulación sexual. Luego querrás que tu novia se vista así y baile así para hacerte sentir así.

4. **Modas.** No estamos para coartar tu manera de vestir, medir el largo de tu falda o ampliar las curvas de tus pantalones, pero hay modas que son una bomba sensual de la que no conviene que participes. Cuando pienses en vestirte, usa la cabeza. Si vas a salir con tu novio piensa en lo que te vas a poner porque no ignoramos las estrategias de Satanás. Las palabras importantes cuando se trata de vestirte son: sabiduría y cordura. Si te preguntas qué te voy a prohibir o permitir, olvídalo, lo que si te diré es: **"usa la sabiduría"**. Ciertas modas estarán particularmente enfocadas en exhibir el cuerpo de manera provocativa, así que, ***ten cuidado*** de usar esas vestimentas que te convertirán en una máquina de sensualidad. No alimentes tu lujuria a través de las curvas peligrosas que esas modas pondrán frente a tus ojos, no ignores las maquinaciones de Satanás.

Toma nota que un vestuario extravagante, seductor o erótico en general no es bien percibido. Por lo general, cada lugar tiene normas de vestir, así que en realidad no es un asunto de religión o de iglesia, más bien es un asunto de respeto y decencia. No es un asunto de *"clavarnos"* con puntos de vista aburridos o prejuicios, en serio, cuando se trata de vestirte ten en mente las palabras: SABIDURÍA Y CORDURA.

5. **La radio y la TV.** Los medios de comunicación están plagados de seducción sexual desbordada, están saturados. Dentro de ese campo se encuentran radio emisoras inundadas de provocación, estimulación e irrespeto en el campo de la sexualidad. Lenguaje obsceno y erótico, programas que incitan a una sexualidad alocada, presentadores y locutores sin ningún tipo de límite, todo es parte del mundo del espectáculo, esas trampas te rodean y seducen. Toma el hábito de escuchar cosas que te hagan crecer y te ayuden a ser una mejor persona.

¿Y la TV?, qué te puedo decir, encuentras todo tipo de presión sexual: programas, películas, comerciales, escenas, etc. Imágenes que te envuelven, seducen y te empujan a cualquier clase de tentación que termina enviando al cesto de la basura tu pureza sexual; no ignoramos las maquinaciones de Satanás. Encontramos en la televisión programas cargados de erotismo, pornografía, homosexualidad, aun en horarios familiares y en programas para niños. No hay límites, en defensa de una sociedad con "mente abierta" se han abierto las puertas a toda clase de perversión y la hemos tolerado, los resultados se evidencian en embarazos no deseados, infidelidades, depravaciones, abortos, irrespeto y pecado.

6. **Educación.** Cuando hablo de la "educación" me refiero a aquellos contextos que presentan y enseñan esquemas de educación sexual que están muy lejos del parámetro bíblico. Hay un tipo de educación sexual que está totalmente distorsionada con respecto a la Biblia. Recuerda que el parámetro de un cristiano para definir la verdad, lo correcto o incorrecto está en

referencia a las Escrituras. Ten cuidado con esta trampa, el hecho de que las opiniones provengan de un maestro, un líder, un libro o un sitio web, no necesariamente son verdad o te convienen. No todo lo que oyes es correcto aun cuando venga de fuentes que consideramos autoridades, la Biblia es la medida de la verdad para tu sexualidad y cualquier otro tema.

7. **Amistades.** Las conversaciones, consejos, prácticas, hábitos, principios y valores de tus amigos o que influencian a tus amigos, ¿hacia dónde llevan tu sexualidad?, ¿en qué ruta te ponen?, ¿te estimulan tus amistades a tener relaciones sexuales, te intimidan, te presionan, menosprecian tu fe y tus principios? Tú has decidido vivir guiado por valores superiores, no dejes que la presión te convierta en algo o alguien que no te gusta, no permitas que esa presión te lleve a lugares donde no quieres estar. Si tus amistades quieren juguetear con el sexo, eso no es para ti. He conversado con jóvenes que reciben mucha presión de sus amigos y amigas para ver pornografía, tener relaciones sexuales con su novio o novia, ir con prostitutas, bromas de doble sentido, conversaciones eróticas, etc. No caigas en las trampas del enemigo, huye de esas cosas, nadie debe ni puede obligarte a pisotear tus principios, te aseguro que luego te arrepentirás y te darás cuenta de que no valía la pena ceder, sobre todo porque ellos no te acompañarán al enfrentar las consecuencias del pecado sexual.

8. **Internet.** Bueno, llegamos por acá, qué decir sino que Internet es un campo minado en el que casi a cada clic podría aparecer una bomba de tentación sexual. Aunque Internet es una bendición desde muchos aspectos, también es una gran trampa para tu sexualidad. Cuidado con los sitios web pornográficos, en algunos de ellos podrías caer aun sin buscarlo, si eso pasa

¡huye! Por favor no digas que fue casualidad, si tu escribiste sex.com, eso no fue casualidad esa fue tu manita, deja de juguetear con eso. Recuerda que muchas adicciones comenzaron con una palabra: CURIOSIDAD, y la web es el parque de diversiones para tu curiosidad. Ten en mente que esas cosas te atrapan porque están diseñadas precisamente para eso: atraparte, y te van a gustar. El sexo te va a gustar, por eso estamos hablando de esto, "curiosear" en Internet, te va a atrapar.

9. **Redes sociales.** ¡Ah! Debo ser honesto cuando te digo que si bien es cierto tienen la capacidad de mantenernos conectados en muchos sentidos, esa capacidad también puede crear conflictos con tu sexualidad, TE MANTIENE CONECTADO con quien no debes conectarte. Las estadísticas de infidelidades a causa de las redes sociales son alarmantes, esa capacidad de conectarte con casi cualquier persona y que casi cualquier persona pueda conectarse contigo, se puede convertir en una trampa. En medio de esas conexiones pueden haber juegos sexuales, fotos, conversaciones, y bueno, tú sabes más que yo de eso. Las oportunidades para la tentación sexual se incrementaron a partir de las redes sociales porque favorece el contacto con personas tóxicas para tu sexualidad en muchos sentidos, y con la ventaja de que puedes hacerlo a escondidas utilizando dispositivos personales, a eso súmale las cosas que pueden colgar en tus redes; hace solo un par de días alguien posteó en una de mis redes cinco vídeos pornográficos y no es la primera vez que pasa, sin buscarlo te encuentran, sin pedirlo te mandan la basura, ten cuidado, ese tipo de desperdicios, sin dudarlo ni curiosear debes eliminarlos.

Cuídate de los contenidos de los correos electrónicos y las aplicaciones. De repente aparecen personas insinuando encuentros eróticos o enviando contenido pornográfico. Cuidado con las fotos que subes, los comentarios, lo que te envían, las búsquedas, en fin, hay tanto de que advertirte, pero en realidad tú sabes dónde están los peligros en estos campos, ten cuidado porque no ignoramos las artimañas de Satanás. Ante la tentación sexual en la red ¡huye! Cuando tengas frente a ti una imagen erótica no te pongas a orar, huye de ese lugar; no te pongas a reflexionar, corre. Si estás en una página porno o ante un contacto seductor ¡corre!, ¡bloquea!, ¡elimina!

10. **La "tocadera".** Esa "tocadera" al cuerpo de tu pareja te hace viajar por la escalera de la pasión. Comienza por una mirada y termina en una carrera sin final de relaciones sexuales, la razón es placer, les gustará e irán escalón tras escalón. Una pareja de novios me dijo: "Estamos teniendo relaciones sexuales y no podemos detenernos", les pregunté: "¿Por qué creen que lo hacen?" —contestaron mil cosas "espirituflaúticas"—, y al final simplemente les dije: "es porque les gusta".

La primera vez sientes remordimientos, pides perdón, oras y hasta lees la Biblia. Al día siguiente todo empieza otra vez y se repite la escena, lees otro versículo. Una semana más y avanzan dos centímetros, van poco a poco y caen en la trampa. Ten en mente que si estar con tu novio o novia se ha convertido en una estimulación sexual lujuriosa es porque ustedes ya pasaron la línea, y algunos ni necesitan tocarse para eso. Cuando esa relación pasó de ser una relación de compañerismo y amor, a ser una relación que está estimulando inapropiadamente tu sexualidad es porque ya cruzaron la raya. A ese punto tendrás que tomar decisiones importantes porque si no accionas, toda la relación va a girar alrededor de ese estímulo y no en el amor y compañerismo. Todo girará alrededor del placer que están experimentando y eso es adictivo, su placer sexual será el centro de la relación, todo se distorsionará, al final, será doloroso.

11. **El "sexular".** ¡Eh!, perdón, quise decir "el celular". Tu teléfono portátil es una gran herramienta, pero tiene sus peligros para tu sexualidad. Imágenes, conversaciones, *sexting*, navegación en sitios inapropiados. Si no tienes la edad o el carácter para controlar ese aparato se convertirá en una trampa para tu sexualidad. ¿Qué pasaría si tu papá revisa tu teléfono?, ¿estás desarrollando relaciones o conversaciones con personas que no te atreverías a presentárselas a tu papá?, ¿estás teniendo conversaciones con alguien por texto o llamadas que no te atreverías a tenerlas en público, frente a tus padres, líderes o amigos? ¡Cuidado!, ¿estás enviando o recibiendo información que no deberías?, ¿estás recibiendo o haciendo llamadas que no deberías?, ¿estás jugueteando o coqueteando con alguien a través de tu teléfono? Honestamente hay cosas que merecen ser descubiertas, por eso le aconsejo a los padres que revisen los celulares de sus hijos. No ignoremos las artimañas del enemigo a través de su teléfono.

12. **Seducción**. Me refiero a una "actitud seductora". Hay gente con una actitud muy seductora, gente que está muy interesada en tu cuerpo. Algunos están siempre en modo de cacería, al asecho; vigilan, escanean y se acercan: "hola hermana Dios te bendiga, que gozo verte en la casa del Señor, estamos coordinando la buena comunicación entre los miembros del ministerio y queremos tener tus datos para que seas parte de esto. En fin, puedes darme tu correo, número telefónico, redes, ¡todo!". Hasta cara de santulones ponen, mientras transpiran lujuria por cada poro de su cuerpo. No caigas en las trampas de esos seductores,

ellos no te merecen, puede que solo signifiques un trofeo más en su estante, otra medalla colgando por su cuello o la satisfacción de una lujuria fuera de control, abre bien tus ojos, no caigas en esas trampas.

Entre las chicas también las hay, en proverbios se nos habla de las que tienen espíritu de alborotadoras, escandalosas o descaradas. Amiga no seas una "alborotadora", y esto honestamente no es un asunto solo de iglesia, en ningún lugar se ve bien eso (escuela, universidad, trabajo, etc.).

"De pronto la mujer salió a su encuentro,
con toda la apariencia de una prostituta
y con solapadas intenciones.

(Como es escandalosa y descarada,
nunca hallan sus pies reposo en su casa.
Unas veces por las calles, otras veces por las plazas,
siempre está al acecho en cada esquina).

Se prendió de su cuello,
lo besó, y con todo descaro le dijo:
«Tengo en mi casa sacrificios de comunión,
pues hoy he cumplido mis votos.
Por eso he venido a tu encuentro; te buscaba,
¡y ya te he encontrado!
Sobre la cama he tendido multicolores linos egipcios.
He perfumado mi lecho con aroma de mirra,
áloe y canela.

Ven, bebamos hasta el fondo la copa del amor;
¡disfrutemos del amor hasta el amanecer!".
Proverbios 7:10-18

Se podría escribir un libro entero solo de esa porción. En todo caso, no hay mucho más qué explicar. Cuídate de las seductoras y descaradas, solo llevarán tu sexualidad a un precipicio letal.

¿Qué otras trampas hay? Lamento que al publicar este libro seguramente ya habrán salido nuevas estrategias al mercado, entre tus amigos, en los medios de comunicación, redes, etc. Lo sé porque no ignoramos las artimañas del enemigo, Satanás es un maquinador. Debes aprender a cuidarte, no es un juego, es en serio, el enemigo quiere principalmente a los que toman las decisiones correctas por mantenerse "sexualmente santos". Pero el asunto tiene solución, podemos vencer, veamos algunas respuestas para las viejas y nuevas trampas de nuestra sexualidad.

Entonces ¿qué puedes hacer?

Una Lista rápida de armas contra las viejas y nuevas trampas de tu sexualidad.

1. **Recuerda que amor no es igual a lujuria y sexo**. No confundas un sentimiento profundo con un deseo desesperado, que se amen no es suficiente para hacerlo. De hecho el verdadero amor respeta y protege.

2. **Cuida y guarda la zona de guerra...Tu mente**. Cuida tus pensamientos, no le des cabida a información riesgosa, borra los archivos peligrosos, no permitas que se aniden pensamientos sexualmente tóxicos y sobre todo no los dejes entrar por la puerta, es decir, tus sentidos (tacto, ojos, oído, gusto).

3. **No des rienda suelta a las provocaciones o tentaciones.** Corta de un solo esas relaciones, esos números telefónicos, sitios Web, elimina esos contactos, sé firme y directo con esos comportamientos que no te gustan, aunque sea alguien que va a la iglesia y luzca "espiritual" páralo de una vez. Dile que no te gustan esas invitaciones, esos mensajes, la manera en que trata de seducirte, ya no vayas a ese lugar con tu novio, no sigan haciendo esas cosas.

4. **Respeto**. Respeta a las personas, pues no son objetos para jugar. No juegues a la seducción usando tu cuerpo con ese joven. No olvides que Dios está en esa chica o ese chico, Dios está allí, ¿harías esas insinuaciones frente a sus padres?, pues déjame decirte que alguien mayor que su papá está allí y es el Espíritu Santo, no te metas en problemas con Él. El respeto es una regla firme y no negociable en tus relaciones, debes respetar y te deben respetar.

5. **Amor.** El verdadero amor no busca lo suyo sino el beneficio de la otra persona, no dañas a alguien que amas, el verdadero amor define límites. En él hay respeto, cuidados, protección. Con verdadero amor no te ponen en peligro, ni pones en peligro la integridad sexual de la otra persona.

6. **Obediencia**. ¿A quién?, a tus autoridades, a Dios, a tus principios y valores, a la santidad. Obedece a Dios antes que a cualquier otro deseo, haz lo que Dios quiere que hagas y estoy seguro de que tú sabes qué es eso.

No dudo que Satanás está preparando su próxima estrategia para sacarte de tu santidad sexual, y si no estás listo para identificarla caerás en el objetivo principal del enemigo que es el pecado.

¿Y si fallaste? Quizá ya fallaste en cualquiera de las formas en las que puedas caer en tu sexualidad. Con todo y eso hay buenas noticias, Dios da segundas oportunidades, te restaura, puedes volver a caminar en armonía y paz con Él. Tu Dios puede volver a hacer un plan perfecto, cuéntaselo a Dios pues él puede perdonarte y quitar la culpabilidad para que vivas en libertad, pídele perdón a Dios. Y si piensas que nadie te va a valorar, no te lo creas, encontrarás a alguien que te valore como eres, tus errores no son tu final, corre a Dios.

Algunos luchan con lo que ven, con la mente, o con lo que acarician, y aunque es placentero sabes que no está bien. Si fallaste pide perdón en arrepentimiento y por favor no esperes oír una voz que viene del más allá que te dice: "te perdono", solo dilo y recibe su perdón. Dile: "Te fallé, dame otra oportunidad, lávame, quiero sentirme limpio, quiero ir a la cama esta noche sin remordimientos, quiero hacerlo sin ansiedad sexual, con la convicción de que no te fallé, hoy quiero tener paz".

Tal vez has pedido perdón mil veces, bueno, hazlo una vez más y toma decisiones, tú solo no puedes, pide al Espíritu Santo que te ayude a controlar tus ojos, que solo veas lo que él quiere que veas, que solo oigas, toques y hables lo que su Espíritu Santo quiere. Solo acércate y dile: "Te confieso mi pecado y recibo tu perdón", no trates de entenderlo porque no podrás, no entenderás su perdón, solo recíbelo y siéntete libre porque no hay condenación para los que están en Cristo, y cuando lo hagas, descansa, siéntete amado por Dios como no lo has sentido en mucho tiempo.

Pide las fuerzas para seguir y mantenerte sexualmente puro y santo, para mantenerte en el propósito y diseño para tu sexualidad. Pide la capacidad de distinguir las estrategias del enemigo, que tengas el poder y valor para pelear y vencer.

Trampas para tu sexualidad	**¿Qué puedes hacer?**
• Anuncios publicitarios. • Literatura. • Música. • Modas. • La radio y la TV. • Educación. • Amistades. • Internet. • Redes sociales. • La "tocadera". • El "sexular". • Seducción.	• Recuerda que amor no es igual a lujuria y sexo. • Cuida y guarda la zona de guerra...Tu mente. • No des rienda suelta a las provocaciones o tentaciones. • Respeto. • Amor. • Obediencia.

CAPÍTULO 5

EN LA INTIMIDAD DE TU HABITACIÓN

¿Qué sucede en la intimidad de tu habitación?
La pornografía intoxica tu mente, en varias áreas
de tu vida eres radical y no permites
que lo incorrecto o el abuso te dominen.
Tú has conocido a Jesucristo, por lo tanto,
tienes autoridad sobre el pecado sexual.
Carlos Navas

Pornografía y masturbación

¿Qué puede pasar en la intimidad de tu habitación?, ¿qué sucede cuando llegas a tu casa buscando tu preciada soledad? Detrás de la puerta de tu habitación pueden encontrarse los pensamientos, fantasías y prácticas que traen culpabilidad, frustración, desesperación y pecado. Allí te paseas con las fantasías que alimentan tu lujuria, la pornografía que enciende tu pasión y corrompe tu mente, los hábitos que gobiernan tu voluntad y te producen remordimientos. ¿Qué sucede en la intimidad de tu habitación, das cabida para meter basura en tu mente?

Hablo de la basura de la pornografía ¿y por qué es basura?, porque produce una distorsión al sentido de la sexualidad y las relaciones, degradando el diseño de Dios y metiendo suciedad a tu mente. La pornografía te envuelve en escenas y situaciones que se alejan de la realidad, y sobre todo, se clavan en tu cerebro para ensuciarte y atraparte como el insecto que queda enredado en la telaraña, solo para esperar ser devorado. Aléjate de la pornografía, sin darte cuenta te atrapará y te desarmará. La pornografía es una forma de presentar la sexualidad como un objeto de placer momentáneo, entretenimiento y hasta descanso.

Encuentras pornografía en todo lugar. En mis tiempos de escuela tener material pornográfico era casi un privilegio, el compañero que llegaba alardeando de tener una revista pornográfica escondida debajo de su cama era casi un superhéroe en el salón de clase. Hoy tienes acceso a ese material donde sea y como sea: televisión, cine, revistas, libros, periódicos, celular, aplicaciones y por supuesto en la web.

¿Qué efectos produce la pornografía? Si investigas y preguntas, encontrarás muchísimas consecuencias de lo que el consumo de esta basura produce. La mayoría de los jóvenes tiene acceso a ella a través de sus compañeros o sus "juguetes" tecnológicos, los adultos la consumen por hábito, traerá estimulación sexual y terminarán acompañados de su aliado inseparable que es la masturbación, de la cual ya hablaremos un poco más.

Entonces, qué efectos produce la pornografía:

- **Adicción**. El placer por consumir estas escenas sexuales, despertará el deseo de seguir consumiendo y no habrá límite ni línea de meta. Volverás por otra dosis, tu lujuria estará siendo alimentada y será "insaciable", siempre querrás un poco más. Caerás en un remolino de "placeres" y sensaciones y no podrás detenerte.

- **Desprecia la sexualidad**. Vender escenas, vender cuerpos desnudos, vender erotismo, provocar tu sexualidad a través de lo que ves y oyes es despreciar la sexualidad que Dios diseñó. La meta es provocarte, utilizar tus impulsos y hormonas para vender, como cualquier otro producto del mercado. Todo se reduce al plano del placer, lo cual obviamente está incluido en la sexualidad, sin embargo, en el diseño de Dios no se trata exclusivamente de eso, y no se presenta como un producto.

- **Promueve el libertinaje sexual.** Obviamente, el resultado de poner todo ese material de insitación sexual en los escaparates o exhibidores, será una promoción alocada del sexo ilícito. El resultado será promiscuidad, infidelidades, prostitución, fornicación, adulterio, etc., un descontrol en tu sexualidad que estará totalmente estimulada y alborotada. Si de hecho ya estás alborotado con tus pensamientos, luchando contra una sexualidad fuera del diseño de Dios, con tus hormonas en modo "activado" cual arma cargada y a punto de disparar, y luego, te ponen una escena de esas, caerás frito. La pornografía promueve el pecado sexual.

- Es materia prima para tu lujuria. No hay más que agregar a esto, ya lo hemos dicho, con todas esas imágenes en tu mente ¿cómo podrías evitar deseos sexuales ilícitos? La lujuria se alimenta de esas cosas, tus deseos sexuales se fortalecen.

En resumen, la pornografía afectará tus actitudes, percepciones y valores relacionados a la sexualidad. La pornografía te presenta un panorama de sexualidad que no está alineado al diseño de Dios, promoviendo la promiscuidad sexual y la mentalidad de que no hay consecuencias con una práctica distorsionada del uso de tu sexualidad. La pornografía intoxica tu mente, reduce la sexualidad a un acto de placer y deseo eliminando el componente emocional y espiritual del acto sexual y te abre paso a la masturbación.

Definir el término me parece innecesario pero igual debo hacerlo, la masturbación es la estimulación propia de tus órganos sexuales con el objetivo de alcanzar el clímax sexual. Es un acompañante inseparable de la pornografía y la causa de la frustración de tantos jóvenes y adultos por sentirse atrapados e incapaces de vencer este hábito.

Estoy seguro de que ya habrás preguntado y buscado el versículo en la Biblia que dice: "No os masturbaréis", y obviamente, ese versículo no existe. No sé si eso te produjo alivio o más ansiedad, porque aunque no lo encontraste y hasta es probable que hayas chocado en alguna ocasión con alguien que sugiere que la masturbación es algo natural, que es bueno, y que hasta es una "saludable y segura" opción para disfrutar del placer sexual y reducir la tensión..., entonces ¿por qué sigues sintiéndote mal al practicarla?, ¿será porque es una práctica adictiva, secreta, solitaria y generalmente las cosas que haces así no suelen ser correctas?, ¿será porque te hace sentir vergüenza, y la vergüenza no es parte del diseño de Dios para tu sexualidad?, entonces ¿cuál es el problema con esto de la masturbación?

-Obsesión. Esta práctica te atrapa, te esclaviza y te obsesiona. Controla tu mente, te lleva al punto que no puedes detenerte ni controlarlo, quedas embriagado y eso no es bueno desde ninguna perspectiva de tu vida. Ese hábito de masturbación compulsiva te tiene atado a una cárcel que no deja que experimentes la libertad de vivir tu sexualidad en paz.

-Pensamientos. La masturbación está cargada de fantasías sexuales, las cuales se alimentan con la pornografía, escenas provocativas o tu propia imaginación. Tu mente se enferma de sexo y se convierte en el instrumento generador, en el autor intelectual y no es apropiado usar tu mente para estas cosas.

"Por lo demás, hermanos, todo lo que es verdadero, todo lo honesto, todo lo justo, todo lo puro, todo lo amable, todo lo que es de buen nombre; si hay virtud alguna, si algo digno de alabanza, ***en esto pensad****".*
Filipenses 4:8-RVR1960. (Énfasis del autor).

¿Logras identificar la calidad de los pensamientos que deben correr por tu mente?, en eso debes concentrarte. Honestamente no tenemos mente a prueba de balas, creo que todos luchamos con las ideas que se atraviesan por las carreteras de nuestras neuronas, así que, luchar con esto no es pecado, dejarlas correr a máxima velocidad sin estorbarlas, sí lo es. No dejes que esos pensamientos y fantasías tomen el control de la carretera porque una cosa te llevará a la otra y volverás a sentirte mal, controla y estorba aquellos pensamientos que sabes que no debes tolerar.

-Fantasías. Esto está conectado a lo anterior, los pensamientos y fantasías van jugando y saltando de la mano. Lo traigo aparte porque encuentro el estándar de Dios alto con respecto a los pensamientos y deseos relacionados a tu sexualidad, sin duda Dios espera mucho de nosotros y no vamos a fallar:

"Pero yo les digo que cualquiera ***que mira*** *a una mujer y* ***la codicia*** *ya ha cometido adulterio con ella en el corazón".*
Mateo 5:28. (Énfasis el autor).

¿Ves cómo se espera mucho de ti?, ¿ves esa conexión entre mirar y codiciar? Entra por tus sentidos, codicias, piensas, deseas, fantaseas, está todo conectado. Rompe ese patrón, rompe esa fórmula. Solo codiciar en tu corazón te lleva a una ruta en la que Dios no quiere que camines. La vara es alta, antes de consumar un acto sexual ilícito, solo desearlo es entrar en terreno de pecado. El deseo acompañado de pensamientos y fantasías, tu mente convertida en una máquina de lujuria que te hace esclavo de ideas, deseos e imágenes acompañadas de un hábito que de una u otra manera te hace sentir culpable, a eso suma que se convierte en una obsesión de cada día. Rompe ese patrón, Dios te ayudará para hacerlo.

-El placer sexual es para compartirlo en pareja.

"Ah!, si me besaras con los besos de tu boca...
*¡**grato en verdad es tu amor**, más que el vino!*
Grata es también, de tus perfumes, la fragancia;
tú mismo eres bálsamo fragante.
¡Con razón te aman las doncellas!
*Regocijémonos y **deleitémonos juntos**,*
***celebraremos tus caricias** más que el vino.*
¡Sobran las razones para amarte!
Morena soy, pero hermosa,
hijas de Jerusalén;
morena como las carpas de Cedar,
hermosa como los pabellones de Salmá".
Cantares 1:2-5. (Énfasis del autor).

Qué profunda y romántica relación nos narra el libro de los Cantares. Una relación de pareja íntimamente involucrada, están conectados sentimientos y sensaciones profundas y placenteras. La intimidad sexual implica placer, este don de Dios trae satisfacción a tu cuerpo. Pero este nivel de placer está reservado para la vida matrimonial. Observa cómo la relación de estos enamorados en el libro de Cantares es tan profunda y sensible, está cargada de amor y sensaciones, y toda esa experiencia es para una relación de alto compromiso llamada: "Matrimonio".

Por lo tanto, quiero resaltar que esa profunda satisfacción no es presentada en lo solitario en ninguna parte de la Biblia. Quiero ser más claro, no hay un solo pasaje en la Biblia en donde encuentres aseveraciones tan fuertes de disfrute de la sexualidad con una sola persona, no hay una automanipulación para estimular el placer sexual como sucede con la masturbación. El placer sexual se presenta en el marco de una pareja (heterosexual), y no como un acto de autosatisfacción de masturbación. El libro de Cantares está lleno de episodios que hacen evidente esa satisfactoria relación entre el hombre y la mujer, el placer de la intimidad sexual es para el matrimonio, en el marco de una pareja heterosexual y no por la manipulación personal.

Algo más acerca de este asunto de la pornografía y la masturbación es que no tienen fin. Estos hábitos no tienen medida, ni límite. Te arrastran sin piedad por un camino cuesta abajo sin final y sin control. Avanzas más y más y no importa hasta dónde puedas llegar, hay suficiente material para que lo consumas por el resto de tu vida. El conflicto se hará peor en tu conciencia pero no te detendrás, lo peor será llegar a la "insensibilidad", cuando pierdas todo interés, remordimiento o vergüenza por lo que está pasando en tu sexualidad:

*"**Han perdido toda vergüenza**,*
se han entregado a la inmoralidad,
***y no se sacian** de cometer toda clase*
de actos indecentes".
Efesios 4:19. (Énfasis del autor).

Hay quien comenzó consumiendo algo de pornografía que le llevó a la masturbación, para luego hacerlo con su novia o con otra chica. Una mujer decidió consumir algo de pornografía y posteriormente se metió con alguien más en el trabajo. ¿Qué sigue?, ¿sexo con una prostituta?, más pornografía en el celular, en la computadora, en la casa, en la oficina, este camino no tiene final.

Chicas que han dañado su cuerpo en prácticas de masturbación realmente violentas y obsesivas, ***"no se sacian"***. Así son estos monstruos, no se sacian, siempre te llevarán más lejos y será doloroso, hemos atendido todo tipo de casos. Ese no es el diseño de Dios para tu sexualidad, definitivamente no lo es.

El nivel de pérdida de sensibilidad es contundente. Llegas al punto en el que ya no importa, ya no hay estorbo moral que te detenga o nivel de obediencia a la Palabra que te disuada, se pierde la sensibilidad y te dejas llevar por el deseo. ¿Piensas que esto es muy extremo?, ¿piensas que estoy hablando de cosas y casos muy extremos que pueden ser realidad pero no tu realidad?, me alegra que aún no sea tu caso, pero podrías estar avanzando, es como una droga, es científico, es real. Cada vez necesitarás una dosis mayor para encontrar satisfacción, así fue diseñado el sistema, es mejor que tomes el control. En realidad, si lo piensas, ya pasaste la línea cuando "manoseaste" a tu novia más allá de lo que nunca habías llegado, pasaste el límite cuando viste unos minutos de pornografía y antes no lo hacías. También cuando consideraste a esta persona en tu mente para tener fantasías sexuales y masturbarte, simplemente estás avanzando y no vas a detenerte, no te detendrás porque el sistema está creado para eso, para desensibilizarte, no te detendrás a menos que tomes las decisiones correctas y abandones esa obsesión y traigas control y victoria.

"Ustedes han oído que se dijo:
"No cometas adulterio."
Pero yo les digo que cualquiera ***que mira a una mujer***
y la codicia ya ha cometido adulterio
con ella en el corazón.
Por tanto, si tu ojo derecho te hace pecar,
sácatelo y tíralo*. Más te vale perder una sola parte de*
tu cuerpo, y no que todo él sea arrojado al infierno.
Y si tu mano derecha te hace pecar, ***córtatela y***
arrójala*. Más te vale perder una sola parte de tu*
cuerpo, y no que todo él vaya al infierno".
Mateo 5:27-30. (Énfasis del autor).

Jesús nos dejó una barra bien alta, la medida de la integridad sexual es grande, debemos reconocer que el mundo, nuestra carne y aun algunas maneras de pensamiento cristiano quieren aligerar el tema, quieren justificar y ser tolerantes, pero Jesús nos dejó una barra muy alta y versículos como el anterior lo reflejan. La medida de nuestra pureza sexual va desde nuestros pensamientos y mucho antes de llegar a las acciones: *"cualquiera que mira a una mujer y la codicia ya ha cometido adulterio"*. Te lo digo de otra manera, la integridad sexual, la santidad sexual, vivir sexualmente santos, comienza desde nuestra mente, ideas, deseos, antes de llegar a la masturbación, pornografía, relaciones sexuales, etc.

Esto nos hace pensar en lo serio que es el asunto para Dios. Pero no te angusties, Dios no es un tirano egoísta que quiere echarte a perder la diversión y meterte en conflictos morales. Las reglas de Dios son para protegerte, son otra manera de decir "te amo", yo sé que a veces no lo parece, pero es la verdad, Dios te ama y pone límites para protegerte. Comprendí esto cuando me convertí en papá. Cada regla, la disciplina o los lineamientos para mis hijos, son porque los amo, y esas reglas tienen un propósito, una razón y no son un capricho egoísta, es para formar algo en ellos, para evitarles peligros, para evitar que salgan dañados, etc. Los amo y les pongo límites, Dios te ama y te pone límites con un propósito.

Jesús nos llamó a ser radicales... debes ser radical

"Por tanto, si tu ojo derecho te hace pecar,
***sácatelo y tíralo**. Más te vale perder una sola parte*
de tu cuerpo, y no que todo él sea arrojado al infierno.
Y si tu mano derecha te hace pecar, ***córtatela y***
***arrójala**. Más te vale perder una sola parte de tu*
cuerpo, y no que todo él vaya al infierno".
Mateo 5:29-30. (Énfasis del autor).

Por favor no mutiles tu cuerpo. Quiero dejar claramente escrito que ni Dios ni yo estamos promoviendo que cortes una parte de tu cuerpo, porque consideras que te está contaminando o llevando al pecado, por supuesto que no es ese el sentido del texto. El asunto tiene que ver con la actitud radical que debes tener ante el pecado, y para el caso, el pecado sexual.

No permitas que tu cuerpo haga lo que quiere y desea. En varias áreas de tu vida eres radical y no permites que lo incorrecto o el abuso te dominen (dormir, comer, letargo), porque no es saludable. De igual manera, no dejes que los pensamientos, la lujuria, la pornografía o la masturbación dominen tu voluntad y tu cuerpo, quita lo que estorba y cumple el propósito y diseño de Dios para tu vida.

No eres un esclavo

"Les prometen libertad, siendo ellos mismos esclavos de la corrupción; porque ***todo hombre es esclavo de aquello que lo ha dominado.***
Pues los que han conocido a nuestro Señor y Salvador Jesucristo, y han escapado así de las impurezas del mundo, ***si se dejan enredar*** *otra vez en esas cosas y son dominados por ellas,* ***quedan peor que antes****".*
2 Pedro 2:19-20. (Énfasis del autor).

La pornografía y la masturbación se convierten en el flagelo de muchos hombres y mujeres, jóvenes y adultos. Hay mucha frustración y desesperación por encontrar la salida. El pecado sexual es profundamente adictivo, la razón es el placer que produce y ese es el jugueteo en el que caes. Luego vienen los remordimientos, te sientes mal, te sientes sucio, te sientes esclavo, y exactamente de eso habla la Biblia, te vuelves esclavo de quien te vence: ***"...todo hombre es esclavo de aquello que lo ha dominado".***

¿Entiendes cuál es el punto? Tú debes dominar tu cuerpo, tu vida, tu voluntad, debes tener el control. Y en realidad, tomar el control es mucho más fácil de lo que piensas y crees. Admiro a la gente tan disciplinada con su dieta, rodeados de deliciosos postres apenas prueban un bocado y a veces ni eso. Dominan su deseo y voluntad, sin caer en las obsesiones de trastornos alimenticios (bulimia o anorexia). Saben dominar su deseo para mantenerse en buena forma y salud. En las madrugadas los escucho muy temprano, van corriendo en las calles o en el gimnasio, tal vez un deporte, es gente disciplinada, dominan la flojera, la pereza, la holgazanería, para verse bien y para mantenerse muy saludables. Dominan aquella parte de su voluntad que no quiere abandonar las sábanas, su deseo por dormir una hora más queda doblegado por la voluntad firme de hacer lo correcto.

El estudiante hace un esfuerzo extra a pesar del agotador día que ha tenido, tendrá unas horas menos de sueño, entrará en la madrugada y devorará cinco capítulos más de su libro, ha decidido ser el mejor y presentará ese examen de forma impecable, no fallará, doblegará el deseo de dormir o descansar. Aplastará la pereza de sentarse frente al libro, la televisión le seducirá, un amigo marcará su número para salir y divertirse un poco, el cine será buena opción, un partido de fútbol, muchas opciones, mucha diversión, muchas cosas mejores que un libro de ciencias o matemáticas, pero ha decidido ser el mejor. Hará a un lado todo eso tan placentero y se sentará hasta la madrugada, serán cinco capítulos y nada lo detendrá. ¿Qué quiero decir?, claro que podemos vencer la tentación y la presión. Puedes doblegar tu voluntad hacia lo correcto, orientar tu vida hacia lo que conviene y no lo que quieres. Es un ejercicio diario, puedes vencer, puedes hacerlo, debes proponerte ganar y disfrutar los beneficios de una sexualidad saludable. Desintoxícate de una sociedad enferma de sexo que está empujándote a consumir la basura que ha producido jugando con tu mente, tu fe, tu cuerpo, tus deseos, no seas un títere de ellos, no seas la fuente de éxito financiero de esos productores, tú eres algo más grande que eso, tú tienes algo mayor, tú has sido diseñado para vencer la basura que el mundo quiere lanzarte para contaminarte, tú eres mayor que la pornografía y la masturbación, no seas su esclavo.

"Pues los que han conocido a nuestro Señor y Salvador Jesucristo, y ***han escapado así de las impurezas*** *del mundo..."*
2 Pedro 2:20. (Énfasis del autor).

Tú has conocido a Jesucristo, por lo tanto, tienes autoridad sobre el pecado sexual. El Espíritu Santo te ha librado de las impurezas del mundo, no vuelvas a revolcarte en ellas. Asume una nueva perspectiva de las cosas, tienes el control de la situación, debes tenerlo, el Espíritu Santo te da la capacidad de doblegar tu carne y someterla a la voluntad de Dios, alimenta al Espíritu y vencerás.

"Pues Dios no nos ha dado un espíritu de timidez, sino de poder, de amor y de ***dominio propio****".*
2 Timoteo 1:7 (Énfasis del autor).

"Porque el Espíritu de Dios no nos hace cobardes. Al contrario, nos da poder para amar a los demás, y nos fortalece para que ***podamos vivir una buena vida cristiana****".*
2 Timoteo 1:7 Traducción en Lenguaje Actual.
(Énfasis del autor).

"Dominio propio" es un buen hábito, no solo para la sexualidad, sino para cada área de tu vida. Necesitas dominar tus impulsos y deseos, eso es saludable, no corras por todo lo que tus ojos quieren y desean, todo lo que tu mente pide. Debes dominar tu apetito, tus horas de sueño, tu tiempo de trabajo, tu tiempo de TV y también tu sexualidad.

La Traducción en Lenguaje Actual dice: *"... y nos fortalece para que podamos vivir una buena vida cristiana"*. La vida cristiana está llena de disciplina y buen juicio, Dios te da la fuerza para eso, te sentirás bien cuando te des cuenta de que puedes controlar tus impulsos y deseos, que tienes la capacidad de hacer lo correcto y no lo que quieres, el Espíritu Santo te ayuda en eso, pídele ayuda..., ¡vamos, corre!, ve a pedirle ayuda.

"Por lo tanto, ya no hay ***ninguna condenación***
para los que están unidos a Cristo Jesús,
pues por medio de él la ley del Espíritu de vida
me ha liberado de la ley del pecado y de la muerte".
Romanos 8:1-2. (Énfasis del autor).

Quiero que vivas libre de la culpabilidad y la acusación, si has caído levántate, si tropiezas levántate, si te golpeas levántate, lo peor que puedes hacer es quedarte lamentando la caída y considerándote la peor basura del mundo. Olvídate de eso, levántate, debes continuar, en la jornada encontrarás la manera de seguir y vencer. No pierdas el tiempo con los remordimientos y lamentaciones que te detienen y solo ponen cargas en tu espalda para hundirte más. Es estrategia sucia de Satanás humillarte con la culpabilidad y acusarte para alejarte de la gracia de tu Dios. No caigas en esa trampa, levántate, acércate a Jesús, pide perdón, pide fuerzas y sigue marchando, aviéntale la culpabilidad en la cara al diablo y levanta tu cara para continuar, hay mucho qué hacer para el Reino de Dios, no te angusties, sigue marchando.

CAPÍTULO 6

HOMOSEXUALIDAD, UN TEMA QUE NO PODEMOS OLVIDAR

La Biblia seguirá siendo nuestra regla de fe y
seguirá marcando la línea entre lo correcto y lo incorrecto.
No nos corresponde juzgar y determinar culpables o inocentes,
no es nuestra labor hacerlo, solo presentamos el panorama.
Dios creó al hombre y a la mujer,
y esto es todo, Dios no se equivocó contigo,
Él no cometió un error al asignar tu sexo.
Jesús puede liberarte de la homosexualidad.
Carlos Navas

Dios no se equivocó contigo

Estamos frente a uno de los gigantes más letales que hemos enfrentado en relación al diseño de Dios para la sexualidad, la homosexualidad. Cada día una cultura *open mind* desafía los principios fundamentales de la Biblia, así como los principios que sostienen la formación de la sexualidad en nuestros hogares y cultura. El movimiento homosexual, muy fortalecido por artistas, deportistas, cantantes, actores y actrices que día a día, con firme contundencia se declaran públicamente homosexuales o lesbianas, se lanzan a las calles y medios de comunicación a defender sus "derechos" y exigir la aceptación de sus ideas, hábitos y estilo de vida. No me extraña que lo hagan, el mundo y los gobiernos van cediendo a la presión, y se irá poniendo cada vez más difícil, con todo y eso la Biblia seguirá siendo nuestra regla de fe y seguirá marcando la línea entre lo correcto y lo incorrecto. Seguiremos diciendo al mundo que a Dios no le gusta la homosexualidad, que está fuera de su diseño y que es pecado, así como lo es la mentira, el chisme, la religiosidad, la envidia, el robo o el asesinato, la homosexualidad es un pecado.

Hace un tiempo vi un programa de alto *rating* en la TV, la discusión se acaloraba alrededor del tema de la homosexualidad y lesbianismo, los protagonistas en el debate eran: una psicóloga, un médico, dos lesbianas y un pastor. El moderador dirigía la discusión y los argumentos volaban de un lado a otro, el pastor obviamente hacía sus abordajes bíblicos y cada quien en su área de acción opinaba, finalmente escuché a una de las lesbianas decir esto: "Bueno pastor, eso es lo que la Biblia dice acerca de la homosexualidad, pero la Biblia no es el único libro que habla del tema, a nosotras no nos interesa lo que la Biblia dice". Oír esas palabras no me alarmó ni me tomó por sorpresa, la actitud de prepotencia, burla e irreverencia a la Palabra de Dios no me extraña en esos grupos pero siempre me perturba, en el libro de los Salmos encontramos esa actitud claramente:

"¿Por qué ***se sublevan las naciones****,*
y en vano ***conspiran*** *los pueblos?*
Los reyes de la tierra se rebelan; ***los gobernantes se confabulan contra el SEÑOR*** *y contra su ungido.*
*Y dicen: «¡****Hagamos pedazos sus cadenas****!*
*¡****Librémonos de su yugo****!».*
Salmo 2:1-3. (Énfasis del autor).

¿Logras ver la actitud de la gente de este siglo? *"¡Librémonos de su yugo!"*, "no me interesa lo que Él dice, tengo mi propia ley, mis propios principios, lo que él diga no me interesa, ese es su problema". Se sublevan, se rebelan, confabulan contra Dios y su Palabra, niegan su autoridad y se burlan, la menosprecian, sus deseos marcan la regla de acción, su pecado define su propia ruta, mira las palabras del Apóstol Juan:

"Porque tanto amó Dios al mundo,
que dio a su Hijo unigénito,
para que todo el que cree en él no se pierda,
sino que tenga vida eterna.
Dios no envió a su Hijo al mundo para condenar al mundo, sino para salvarlo por medio de él.

El que cree en él no es condenado, pero el que no cree ya está condenado por no haber creído en el nombre del Hijo unigénito de Dios.
Ésta es la causa de la condenación: que la luz vino al mundo, pero ***la humanidad prefirió las tinieblas a la luz, porque sus hechos eran perversos****.*
Pues ***todo el que hace lo malo aborrece la luz, y no se acerca a ella*** *por temor a que sus obras queden al descubierto".*
Juan 3:16-20. (Énfasis del autor).

El propósito y deseo de Dios es SALVAR, así "amó Dios al mundo". Es el amor más grande, que otorgó el regalo más grande, para obtener los beneficios más grandes; es lo mejor que un ser humano pueda recibir en toda su vida. Pero algunos aman tanto sus tinieblas que menospreciaron la luz: *"Ésta es la causa de la condenación: que la luz vino al mundo, pero la humanidad prefirió las tinieblas a la luz, porque sus hechos eran perversos".* Juan 3:19. Menospreciaron a Dios, se aferraron a sus deseos y amaron sus tinieblas. Suelo encontrar esta actitud en el movimiento homosexual, el menosprecio a Dios, a su amor y a su Palabra, acomodan los principios bíblicos a su conveniencia, sin confrontar con sinceridad la verdad de la sexualidad que Dios diseñó y eso se llama "heterosexualidad".

No nos corresponde juzgar y determinar culpables o inocentes, no es nuestra labor hacerlo, solo presentamos el panorama. La Biblia sigue siendo la luz, la lámpara, el mapa, la regla de fe, el referente de la verdad y la mentira, y partimos de allí para este capítulo. No es fácil hablar del tema por todo el abanico de implicaciones que tiene: todo tipo de susceptibilidades, injerencias sociales, culturales, legales, familiares, religiosas, etc. Pero sería irresponsable escribir un libro de sexualidad y obviar un tema de tanta relevancia.

Hay todo tipo de historias o niveles. Unos están totalmente involucrados en una relación homosexual con experiencia en relaciones homosexuales, con su pareja homosexual. Hay quien asumió esa identidad pero aún no ha tenido ningún tipo de experiencia más allá de su identidad. Otros se debaten con ese sentimiento que lo encuentran confuso y hasta doloroso, se sienten atraídos a alguien de su mismo sexo, están luchando, saben que no es correcto pero sienten debilidad y temor. Aquellos que sienten que van perdiendo una batalla y se ahogan en el silencio. Para todos hay una respuesta y una salida, pero sin duda hay decisiones qué tomar.

Recuerdo aquel hombre entrar por mi oficina, tenía unos 26 años, lucía muy seguro de sí mismo y con excelente presentación. Con mucha amabilidad agradeció la cita que le había otorgado y sin mayor preámbulo fue al grano: "Pastor soy homosexual, he tenido parejas y relaciones homosexuales y he decido vivir de esta manera desde hace varios años. El conflicto con mis padres ha sido catastrófico pues son muy religiosos, pero ese es su problema. Con todo, sé que me aman y yo a ellos, pero esto es algo que no cambiaré jamás. He venido para hacerle una pregunta, ahora que usted conoce mi situación, ¿puedo congregarme en esta iglesia?". ¿Cómo te sentirías en una reunión como esa, con este tema y con este amigo? Le respondí: "Gracias por venir para hablar de esto; veo que tienes decisiones ya tomadas, agradezco tu sinceridad y admiro tu valor. Quiero decirte que las puertas de esta iglesia están abiertas para que nos acompañes cada vez que quieras, podemos reunirnos, platicar y orar cuando quieras, puedes venir a mi oficina y charlemos, pero debo advertirte algo que jamás cambiará, cada día seguirás escuchando la misma verdad en la reunión o en nuestra conversación: la homosexualidad no agrada a Dios, la homosexualidad es un pecado, y Cristo puede librarte de esto si tú estás dispuesto a ser liberado". Tuvimos una buena conversación y se fue muy tranquilo, lo vi en algunas reuniones en la iglesia por unos meses y luego no supe más de él. Lamento eso, pero quizá él tomó sus propias decisiones y siguió en su camino; sin embargo, he dialogado con otros, aquellos que luchan con este asunto y no se sienten bien, pelean, no lo entienden, no entienden por qué les gusta alguien de su mismo sexo, por qué se sienten atraídos y hasta emocionalmente conectados, están luchando y buscan una salida, tal vez tu conozcas a alguien así, tal vez eres tú; como sea, sigue leyendo, estoy seguro de que las ideas que seguiremos escribiendo te van a ayudar.

Entonces ¿de qué se trata el asunto? Para definirlo de una manera práctica y concreta podemos decir que, un homosexual es una persona que siente una atracción erótica hacia personas de su mismo sexo. Puede que tenga o no relaciones íntimas con esas personas, pero se siente física y emocionalmente atraído. La homosexualidad involucra todos los aspectos: biológico, social, mental, espiritual, entender esto es importante para abordar las respuestas de una manera integral. El tema de la homosexualidad no es un asunto nada más de tener relaciones homosexuales, algunos tal vez nunca lleguen hasta ese punto, es un asunto de identidad sexual, de un estilo de vida homosexual que incluye sentimientos y atracción física, existe un involucramiento social y psicológico importante.

Sin embargo, algunos datos llaman la atención, sin entrar en detalles encontramos que solo un 8 % de los jóvenes ha sentido atracción hacia el mismo sexo. ¿Qué es lo interesante?, la homosexualidad potencial es baja, hay más temor que atracción real, pero no debemos bajar la guardia, ni menospreciar el tema. Muchos están peleando con el temor, pero en realidad la atracción no es tan firme, la mayoría no se siente atraído a la homosexualidad; con todo, hay un sector que necesita ser orientado.

Debo advertir que no comparto la idea de transcribir estadísticas en mis escritos, ellas suelen ser específicas para los grupos estudiados y es arriesgado generalizar. Tienden a pertenecer a un tiempo, contexto cultural y familiar específicos. Considero que los números deben estudiarse e interpretarse de manera muy particular en el contexto en el que se recogieron, para evitar generalizaciones peligrosas, pero sirven para recoger algunas ideas y principios que ayudan a conocer los temas en estudio y analizar sus tendencias. Partiendo de lo anterior, puedo decirte que la mayoría de los chicos que luchan con la homosexualidad fueron víctimas de manoseo, caricias o abuso sexual en edades muy tempranas, y la tendencia o riesgo de homosexualidad se puede triplicar en estos chicos (ambos sexos). Esas malas experiencias sexuales cada vez son más frecuentes, ubicar esos factores que desencadenan el problema nos ayuda para encontrar salidas y respuestas.

Causas. El tema es amplio y reducir las opciones es complicado, tratemos de encuadrar algunos aspectos que se involucran en la raíz de la homosexualidad:

-Así lo decidió. Esta mamá entró a mi oficina muerta en llanto y me dijo claramente: "Mi hijo ha decidido vivir como un homosexual"; ella no ha sido la única y seguramente vendrán más. ¿Qué quiero decir con esto?, hay quienes decidieron vivir ese estilo de sexualidad. Por estar de moda o por curiosidad algunos deciden vivir así o piensan que son homosexuales. Creo que esta es una de las causas principales, decidieron esta expresión de su sexualidad, es su responsabilidad vivir de esta manera.

-Algo pasó con papá y mamá. Las relaciones con los padres son fundamentales en el desarrollo de los niños en todos los aspectos. El sentido de identidad sexual es contundente a través de los padres. Los modelos relacionales, la afirmación del padre, la identificación con personas del mismo sexo y del sexo opuesto se vitalizan y modelan en la familia y específicamente en las relaciones con los padres. Una mala identificación con esos roles y relaciones con el padre o madre podría terminar en una situación de homosexualidad. Papá hace un trabajo muy sólido en afirmar y confirmar a sus hijos e hijas, él afirma a la niña con su belleza, le enseña al hijo el rol masculino y cómo se trata a los otros hombres y mujeres, etc. La falta de uno de los padres en el hogar puede ser letal.

-Cuidado con "el demonio". Bueno, esto suena un poco dramático pero algunos le atribuyen todo al diablo o fuentes espirituales. No voy a negar el componente espiritual de esto, y tengo algunas historias de terror que contarte al respecto, pero una "superpoderosa unción" no es la solución final del asunto. No menosprecio la labor del Espíritu Santo, la intercesión y la Palabra, sin ellos no hay oportunidad de victoria, pero es simplista pensar que no hay nada más que agregar. Dios hace la obra, una obra completa, y usa todo tipo de instrumentos para llevarla a cabo y nos involucra. En mi experiencia, veo las respuestas en una estrategia integral (familiar, espiritual, psicológica, emocional, etc.), esto nos ayuda a tener mejores resultados.

-Abusos y malas experiencias en la infancia. Aquí abundan las historias. Casi en un 90 % de los casos que he podido atender de homosexualidad, encuentro muy malas experiencias en la infancia: todo tipo de abusos, maltrato, golpes, abandono, negligencia. Las historias de abuso sexual tienen detalles tan escalofriantes que involucran: papá, mamá, padrastros, madrastras, amigos, amigos de los hermanos, los hermanos, personal de limpieza, novios y novias, etc. Varios de esos abusos se extendieron por mucho tiempo, desde semanas hasta años, es terrible. Una vida es absolutamente destrozada por esas circunstancias. La incidencia de homosexualidad se triplica en varones que sufrieron abuso y se duplica en las chicas.

-La genética. Y bueno aquí caemos en el punto de que "así nací y qué culpa tengo". Algunos defensores de la homosexualidad son categóricos en decir: "Nadie me puso en este camino, no tengo problemas psicológicos, ni una niñez complicada, simplemente así soy, así nací", y bueno allí dejan el asunto y no quieren más complicaciones. Simplemente, no encuentro ese esquema en el diseño de la sexualidad de Dios; el esquema bíblico es heterosexualidad, no hay un diseño alternativo o extra. Dios formó un hombre y una mujer nada más, un homosexual decidió vivir ese estilo de sexualidad, como el drogadicto decidió consumir la droga y el alcohólico se bebió una cerveza más.

¿Y qué hay con el lesbianismo? Hay cierto favorecimiento cultural con el lesbianismo, quiero decir que es muy común que las mujeres demuestren su afecto entre ellas sin mucha complicación. Entre ellas se acomodan el cabello, se acompañan al baño, se toman de la mano, estas "libertades" podrían beneficiar o favorecer esos asuntos conflictivos de identidad sexual. Y por favor, no estoy diciendo que cada mujer que hace eso es lesbiana, digo que eso favorece enmascarar o caer en el tema del lesbianismo. El abuso sexual cada vez más frecuente en las mujeres, no ayuda al problema. Además, encuentro una actitud muy depredadora en las mujeres en cuanto al acoso homosexual. Si un varón se siente atraído por otro, por lo general guardará la discreción y podría ser insinuante, medirá las reacciones o respuestas, pero tiende a guardar la distancia sobre todo si no encuentra eco en sus insinuaciones. Con las mujeres no suele ser así, he notado una actitud más agresiva en el acoso y las acciones cuando una mujer o chica se siente atraída hacia otra chica, presionan con intensidad, aun si tuvieran una respuesta negativa a sus intenciones.

¿Qué dice la Biblia? Revisemos el texto bíblico para encontrar algunos principios, mandatos y sobretodo la opinión de Dios acerca de la homosexualidad.

- **La Biblia conecta la sexualidad con la procreación y eso es un patrón Heterosexual.**

"y los bendijo con estas palabras:
«Sean fructíferos y multiplíquense;
llenen la tierra y sométanla...».
Génesis 1:28. (Énfasis del autor).

En el diseño de Dios para la sexualidad se estableció la manera como los seres humanos se multiplicarían. En un proceso natural de procreación es a través de las relaciones sexuales entre un hombre y una mujer, la conexión sexualidad - procreación es por relaciones heterosexuales. Además, no obviemos considerar que el modelo de tutela familiar en el diseño de Dios únicamente es considerado desde una perspectiva heterosexual, papá y mamá.

- **La Biblia conecta la sexualidad con la creación de dos sexos únicamente.**

"...el cual exclamó: «Ésta sí es hueso de mis huesos y carne de mi carne. Se llamará "mujer" porque del hombre fue sacada».
Por eso ***el hombre*** *deja a su padre y a su madre, y* ***se une a su mujer*** *y los dos se funden en un solo ser.*
Génesis 2:23-24. (Énfasis del autor).

"¿No han leído —replicó Jesús— que en el principio el Creador ***"los hizo hombre y mujer?".***
Mateo 19:4. (Énfasis del autor).

En la obra creadora de Dios narrada en el libro de Génesis, se nos relata que Dios creó al hombre y a la mujer, y esto es todo, por lo demás, solo hay animales a su alrededor. Dios formó al hombre y a la mujer, en el corazón de Dios hay un concepto heterosexual de relaciones íntimas, procreación y afectividad de pareja. El concepto matrimonial bíblico considera únicamente la unión entre un hombre y una mujer, eso lo estableció en el Antiguo Testamento y Jesús lo reafirmó en el Nuevo Testamento: "y dijo: "Por eso dejará el hombre a su padre y a su madre, y se unirá a su esposa, y los dos llegarán a ser un solo cuerpo". Mateo 19:5.

En Génesis se establece al hombre y a la mujer, en el marco de las relaciones más significativas existentes en el huerto. Es una relación heterosexual más allá de la pasión de un momento, es una relación de apoyo y unidad. La relación familiar, matrimonial y afectiva más profunda que Dios diseñó fue heterosexual, es una unidad espiritual y física.

- **La Biblia prohíbe claramente las relaciones homosexuales.**

"No te acostarás con un hombre como quien se acuesta con una mujer. ***Eso es una abominación".***
Levítico18:2. (Énfasis del autor).

- **La Biblia señala los actos homosexuales como fruto de corazones que ignoran los principios de Dios.**

"Por eso Dios ***los entregó a los malos deseos de sus corazones, que conducen a la impureza sexual****,*
de modo que ***degradaron sus cuerpos***
los unos con los otros.
Cambiaron la verdad de Dios por la mentira*,*
adorando y sirviendo a los seres creados antes
que al Creador, quien es bendito por siempre. Amén.
Por tanto, Dios los entregó a ***pasiones vergonzosas****.*
En efecto, ***las mujeres cambiaron las relaciones naturales por las que van contra la naturaleza.***
Así mismo los hombres dejaron las relaciones naturales con la mujer y se encendieron en pasiones lujuriosas los unos con los otros. Hombres con hombres cometieron actos indecentes,
y en sí mismos recibieron el castigo
que merecía su perversión.
Además, como estimaron que no valía la pena tomar
en cuenta el conocimiento de Dios, él a su vez
los entregó a la depravación mental,
para que hicieran lo que no debían hacer".
Romanos 1:24-28. (Énfasis del autor).

Según el Apóstol Pablo el corazón del ser humano al ignorar la ley de Dios cae en impureza sexual, entre ellas las prácticas homosexuales, y lo cataloga como ir "contra la naturaleza", es decir, algo que no coincide con el orden divino. Es muy interesante que el texto dice que recibieron el fruto de su perversión *(Romanos 1:27)*. ¿Será que la naturaleza misma, fruto de esta perversión, en un momento da a luz cambios, en los que la genética misma se altera, cambiando el orden natural por el que no lo es?, eso en sí mismo, es fruto de insistir en ignorar el plan y propósito de Dios para la sexualidad humana. En todo caso, comprende que es imposible ignorar a Dios sin enfrentar las consecuencias de esto.

- **La Biblia hace un listado de los que no heredarán el Reino, incluye a los "afeminados".**

¿No sabéis que los injustos no heredarán el reino de Dios? No erréis; ni los fornicarios, ni los idólatras, ni los adúlteros, ***ni los afeminados****, ni los que se echan con varones".*
1 Corintios 6:9. (Énfasis del autor).

- **La Biblia habla de un castigo eterno para los que practican inmoralidades sexuales.**

"Pero los cobardes, los incrédulos, los abominables, los asesinos, ***los que cometen inmoralidades sexuales****, los que practican artes mágicas, los idólatras y todos los mentirosos recibirán como herencia el lago de fuego y azufre. Esta es la segunda muerte".*
Apocalipsis 21:8. (Énfasis del autor).

QUÉ DICE LA BIBLIA ACERCA DE LA HOMOSEXUALIDAD
La Biblia conecta la sexualidad con la procreación en un esquema heterosexual. Génesis 1.28
La Biblia conecta la sexualidad con la creación únicamente de dos sexos: masculino y femenino. Génesis 2.23-24; Mateo 19.4
La Biblia prohíbe claramente las relaciones homosexuales. Levíticos 18.2
La Biblia señala los actos homosexuales como fruto de corazones que ignoran los principios de Dios. Romanos 1.24-28
La Biblia incluye a "los afeminados" en un grupo que no hereda el Reino. 1 Corintios 6.9
La Biblia habla de un castigo eterno para los que practican inmoralidades sexuales. Apocalipsis 21.8

Acércate y platica de esto. Están en las escuelas, trabajo, las calles y hasta en las iglesias. Un hombre o una mujer que sin aparentarlo están totalmente sometidos a este gigante. También están aquellos que abiertamente lo demuestran. Probablemente lo has ocultado y ha dado resultado. Pero no olvides que el silencio protege temporalmente y que ese tipo de silencio suele ser peligroso.

Dios no se equivocó contigo, Él no cometió un error al asignar tu sexo, así que olvídate de que eres una mujer en cuerpo de hombre, o un hombre con un paquete genético de mujer, nada de eso. Dios te formó conforme a sus planes, todo concuerda, todo está en su orden, Él no se equivocó contigo.

No lo dudes y háblalo. Es complicado ayudar a alguien que piensa que no necesita ayuda, ¿cómo guiar al que piensa que no está perdido?, necesitas ayuda y es bueno que te acerques a alguien para obtenerla. No te aísles o escondas porque queda poco tiempo para que salga a la luz.

"Un ciego llamado Bartimeo se propuso capturar la atención de Jesús" (Marcos 10.46). Gritó, gritó, gritó y gritó con todas sus fuerzas mientras la gente le decía que se callara. Pero Bartimeo gritaba con insistencia. Finalmente, Jesús lo llamó y cuando estaba justo frente a él le preguntó: *"¿Qué quieres que haga por ti?"*. Qué clase de broma es esta, tienes a un ciego frente a ti, y le preguntas ¿qué milagro estás buscando? Es tan obvio el asunto, el hombre quiere ver, es absolutamente obvio. Pero lo que debes saber, es que Dios quiere probar si eres lo suficientemente humilde para decirle "quiero ver". Solo puedes ayudar a alguien que pide ayuda. Si estás luchando con este asunto de la homosexualidad, quiero darte buenas noticias, hay gente que te quiere ayudar, búscalos y comienza a sentir libertad para vivir. No puedes solucionarlo solo, te frustrarás. Justo como Bartimeo, Jesús se acerca en este momento y te dice: *"¿Qué quieres que haga por ti?"*.

Tienes algo que arreglar. ¿Has oído de la película *Una mente brillante*? La película es la historia de John Nash, un hombre catalogado y galardonado como un genio de la matemática. Sin embargo, él tuvo que luchar la mayor parte de su vida contra la esquizofrenia paranoide. Aquellos que lo padecen tienen alucinaciones. John Nash veía agentes secretos que pedían su ayuda para descifrar mensajes ocultos de ejércitos enemigos y hasta extraterrestres. ¿Por qué te cuento la historia de John Nash?, porque él solo pudo pelear y vencer estas alucinaciones cuando reconoció que la gente que veía y con la que hablaba no existía.

Debes reconocer que tienes un problema y que debes solucionarlo. Mientras más lo justifiques menos lo enfrentarás. La homosexualidad es una cadena, es pecado y debes dejar que el Espíritu Santo obre. No lo aceptes como algo normal porque ese no es el diseño de Dios para tu sexualidad. Luchar tu solo podría incrementar la frustración.

Tomará algo de tiempo. Si quieres salir de este rollo de la homosexualidad debes comprender que se necesitará toda tu disposición y ayuda. Nadie está preparado para atender este asunto, así que toma tu tiempo y con paciencia comienza el plan de restauración. La libertad esperada no es un acto que se consigue en una sola sentada, tomará tiempo, pero estarás caminando. Así que, afírmate porque vendrán decisiones, acuerdos, pactos, compromisos que te ayudarán a salir de esto de una vez por todas, pasarás procesos. Lograr la victoria en esto requiere una palabra que en lo personal no me gusta porque tengo poca paciencia, pero muchas cosas en el Reino de Dios la requieren: "Procesos". Se necesitará esfuerzo, tiempo, dedicación y compromiso. No existe una oración mágica que haga la obra, pero el compromiso y esfuerzo, la dedicación, tu determinación y la fe en Dios te ayudarán para romper estas cadenas. Te tengo una gran noticia: ¡sí se pueden romper esas cadenas! Claro que he visto a Dios obrar de maneras inmediatas, instantáneas y me sorprendo cuando lo hace; pero honestamente, a Él le encanta involucrarnos en el trabajo y a eso le llamo "modo de Milagro por un proceso", hacemos una parte del trabajo y Él hace la parte llamada "imposible para los hombres". Vamos, sea como sea es un milagro y la salvación te alcanza. No se vale renunciar, los cambios que se requieren para vencer la cadena de la homosexualidad son determinantes y no puedes renunciar.

Vuelve a empezar. Para salir de este rollo de la homosexualidad hay que comenzar de nuevo. Hay que aprender cosas y renunciar a otras. Habrá un cambio de las conductas y costumbres homosexuales, necesitarás paciencia. Debes encontrar la manera de conectar con tu entorno: amigos, familia, las personas de tu mismo sexo y las del sexo opuesto. Algunas conductas que habías adquirido deben cambiar y te reeducarás a lo que eres en realidad. Formas de vestir o peinar, maneras de hablar y relacionarte, muchos cambios, toda una "reeducación"; necesitarás fe, paciencia, fuerza, firmeza.

Tienes una nueva oportunidad. Hay buenas noticias, con el Evangelio hay esperanza, la gran virtud del Evangelio de Jesucristo es su capacidad de transformar y eso es justo lo que te está esperando, una transformación. Tal vez has volado ya por muchas horas, has recorrido mucho camino y el resultado ha sido pobre, muy pobre, tal vez te sientas frustrado con Dios, pero puedes dejar atrás eso y volver a empezar, es hora de poner una nueva perspectiva de esperanza y libertad.

¡Libres al fin! Quiero cerrar este capítulo con una verdad contundente: Jesús puede liberarte de la homosexualidad. No sé si tu compañero homosexual se burla de la Biblia o la ignora, si te tildarán de no sé qué cosa, si nos llamarán fundamentalistas o mentes retrógradas; no sé si alguien piensa que no se puede o si el enemigo te ha hecho pensar que es imposible porque así naciste y que no hay nada más qué hacer. Todos ellos están equivocados, son voces desesperadas que quieren cerrar la puerta a tu libertad. Amigo, amiga, Dios no se equivocó con tu sexo, Él no hizo un experimento contigo y salió un desastre. Tú no eres el fruto de presionar el botón equivocado, o una sobredosis de sustancias tóxicas, ¡no!, Dios no falló contigo. Dios te creó tal como eres para que te comportes tal como Él te creó y vio. Sin confusión, ni engaños, Dios te ama y quiere que vivas alineado a su plan para tu sexualidad. El poder de su Espíritu Santo puede darte la libertad de una cadena que consciente o inconscientemente tiene atada tu sexualidad y te destruirá. Corre a Jesús, pruébalo, no hay nada que perder y sí mucho que ganar. Su poder te está esperando, y su abrazo siempre estará disponible. Así es Él, simplemente te ama, tiene el poder de cambiarte y quiere hacerlo, no dudes en acercarte a tu salvador porque Él te recibirá. Él te ama y te recibirá.

"Así que, si el Hijo os libertare, seréis verdaderamente libres".

Juan 8:36 (RVR 1960)

CAPÍTULO 7

LA LLAMAN "INSACIABLE"

"Y no penséis en proveer para las lujurias de la carne".
Romanos 13:14

Cuida lo que entra por tus ojos, tus oídos, o por tus manos.
Recuerda que cuanto más lejos estés del fuego,
menos probabilidades tienes de quemarte.
Carlos Navas

Cuidado con la lujuria

Nunca está satisfecha, cuando piensas que finalmente todo terminó, vuelve a empezar y siempre quiere más. La intensidad se incrementa, siempre sube, sube y sube. Primero sueños, luego fantasías, imágenes, pasa a las acciones, regresa a buscar la televisión, Internet y conversaciones, no se detiene, desea, desea y desea, es "la Insaciable". Es mejor que te diga su nombre de una vez porque te aseguro que la encontrarás y lo quiere TODO. ¿Estás listo?, anota su nombre en un lugar en donde lo puedas hallar rápido o memorízalo, aunque creo que en realidad la conoces, ha estado allí desde hace tiempo y te hizo caer en alguna de sus trampas, en fin, no te hago esperar su nombre es: la lujuria.

La batalla de ser "sexualmente santos" tiene que ver con pelear contra la lujuria. John Pipper define la lujuria con una fórmula simple: "La lujuria es deseo sexual menos honor y santidad". Los deseos sexuales impuros carecen de honor y reverencia a Dios, cuando entras a ese lugar estás en terreno peligroso, ¡ah!, y tu mente llegará siempre antes que tu cuerpo.

La lujuria codicia lo prohibido y se alimenta a través de los ojos, la imaginación o de todo lo que el cuerpo y el alma le pueda facilitar. Debes saber que para la lujuria, alcanzar imágenes pornográficas, una caricia, una mirada o una relación sexual fuera del matrimonio (adulterio o fornicación) no son la meta, su meta es lo prohibido, por lo tanto, nunca estará saciada, siempre querrá más.

El apóstol Santiago escribió: "Cada uno es tentado cuando sus propios malos deseos lo arrastran y seducen". Santiago 1:14. Y Jesús dijo: "Porque del corazón salen los malos pensamientos, los homicidios, los adulterios, los hurtos..." Mateo 15:19. Atención, la fuente de lujuria somos nosotros mismos, puede que suene chocante y desastroso, pero así es.

*"Antes bien, vestíos del Señor Jesucristo, y no penséis en **proveer para las lujurias** de la carne".*
Romanos 13:14.
La Biblia de las Américas. (Énfasis del autor).

Hemos hablado de esto antes, pero demos algunos pincelazos extra a este asunto. Huye de las fuentes que alimentan la lujuria, no proveas para tu carne, provee para tu espíritu y el fruto será evidente. Evita lugares, horarios de televisión, canales, sitios web, aplicaciones, redes sociales, conversaciones, correos, contactos, amistades y hasta "miraditas" que alimentan ese deseo. Por el contrario, fortalece la santidad y busca todo aquello que avive tu comunión y buen comportamiento con Dios. Siembra en el espíritu y cosecharás en el Espíritu. Recuerda que no puedes salvarte a ti mismo, solo el Espíritu de Dios te puede dar la capacidad de soportar, vencer y romper estas cadenas, por lo tanto, haz del Espíritu Santo tu compañía inseparable.

*"**Vivamos decentemente**, como a la luz del día, no en orgías y borracheras, ni en inmoralidad sexual y libertinaje, ni en disensiones y envidias.*
Más bien, revístanse ustedes del Señor Jesucristo, y no se preocupen por satisfacer los deseos de la naturaleza pecaminosa".
Romanos 13:13-14

"Vivamos decentemente", ¿a qué te suena un consejo como ese? Me aterra encontrarme con historias de chicos, chicas y adultos que se enredan en cada situación tan desordenada con su vida y específicamente su vida sexual. Por favor, considera el valor de tu vida, de tu cuerpo, de quien eres. No derroches tu vida como si fuera un poco de basura inservible. Tal vez así te ves y sientes, abandona eso, no lo pienses más, tú eres valioso, tú vales mucho amigo, no derroches tu vida en un libertinaje sexual que a la larga traerá dolor, remordimientos y consecuencias, algunas de ellas irreversibles y hasta mortales. Piensa bien lo que haces y con quién lo haces; valora tu cuota de vida, jamás te menosprecies. He conocido jóvenes que se desvalorizan tanto que ya no les importa lo que hacen y luego se arrepienten, "vivamos decentemente", no te entrometas en inmoralidad sexual o libertinaje como lo dice Pablo.

Controla tus impulsos y deseos, controla tu vida, vive con la claridad del día: *"Vivamos decentemente, como a la luz del día..."*. La lujuria te sumerge en la oscuridad del pecado sexual, en la oscuridad de un alma opacada por deseos y acciones que no son lícitos y que avergüenzan. Es una mente nublada por el deseo alocado y contaminado. Vive como a la luz del día, claramente, con una vida llena de luz y no de tinieblas.

Mata a la lujuria de hambre. No le des de comer, debilítala, no proveas para que se fortalezca, déjala morir, no le des imágenes, conversaciones, ideas, etc. Mátala de hambre y revístete de Jesucristo, es decir, llénate de la luz de Jesús, de su presencia, de su paz, de su amor, de su rectitud y justicia, envuélvete de la presencia de Dios, será mucho más fácil vencer la tentación sexual: *"Más bien, revístanse ustedes del Señor Jesucristo..."*.

¿En dónde tienes la cabeza?

"Los que viven conforme a la naturaleza pecaminosa ***fijan la mente*** *en los deseos de tal naturaleza; en cambio, los que viven conforme al Espíritu* ***fijan la mente*** *en los deseos del Espíritu".*
Romanos 8:5. (Énfasis del autor).

¿En dónde has puesto tu mirada? Si pones tu mirada en satisfacer tu carne, si le das rienda suelta a los placeres y deseos que exige tu carne en lugar de estorbarlos, lo más seguro es que perderás la carrera. Tu lujuria estará tan fortalecida que no habrá manera de vencer la tentación sexual. Estás viviendo para satisfacer tu pecado y lo alimentas, alimentas tu lujuria, tienes fija la mente en tu naturaleza pecaminosa, estás concentrado en alimentarla.

Por el contrario, si fijas tu mirada en los deseos del Espíritu, en los intereses y rectitud del Espíritu Santo, en la Palabra, en tu comunión con Dios, en una vida de oración, congregándote y adorando, entonces tu vida espiritual se fortalece y la perspectiva es mejor. Cuando la batalla entre el espíritu y la carne comienza, ¿adivina quién gana?, piénsalo bien, exactamente, el más fuerte. Si has estado alimentando tu lujuria, si tu carne se ha fortalecido con pensamientos que has dejado correr, deseos que has contemplado, música insinuante, imágenes que estimulan tu pecado sexual, tu carne es muy fuerte y aplastará las buenas intenciones que tengas por cumplirle a Dios; aunque conozcas lo correcto no tendrás con qué responder a la tentación y cederás. Si por el contrario, has fortalecido tu vínculo con Dios, tu vida de oración, una vida alineada con los principios bíblicos, tu espíritu estará fortalecido y en el momento de la batalla será fácil aplastar a la tentación. ¿No es difícil de comprender verdad?, tampoco de practicar, es cuestión de decidir, concentrarte y hacer lo correcto, este día, ¿quién es el más fuerte?, ¿cuánto has invertido en leer la Biblia?, ¿ha sido la oración prioridad para ti?, ¿estás leyendo algún buen libro que edifique tu fe?

"Por tanto, hermanos, ***tenemos una obligación****, pero no es la de vivir conforme a la naturaleza pecaminosa. Porque si ustedes viven conforme a ella, morirán; pero si por medio del Espíritu* ***dan muerte a los malos hábitos*** *del cuerpo, vivirán".*
Romanos 8:12-13

Por medio del Espíritu puedes vencer los deseos de la carne. Los pecados sexuales pueden ser aplastados a través de una vida espiritual firme, fortalecida, con mantenimiento continuo y diligente, esa es nuestra obligación, esa es nuestra responsabilidad, esa es nuestra parte. Tienes la "obligación" de cuidar y de ser diligente con tu vida espiritual, y no ser diligente con satisfacer tu carne. Tu prioridad es fortalecer tu vida con las cosas de Dios, esa es tu "obligación". Hay quien es más diligente en leer el periódico que leer la Biblia, jugar al futbol, ir al salón de belleza, asistir al gimnasio, que en cuidar su vida espiritual, y no estoy diciendo que todas esas cosas en sí mismas son malas, pero no está bien que sientas la "obligación" de cuidar cosas como esas, y descuides tu vida espiritual. Piensa si estás siendo diligente en lo que alimenta tu lujuria. Guarda tus sentidos y tu corazón de influencias tóxicas para tu santidad sexual. Cuida lo que entra por tus ojos, tus oídos, o por tus manos. Sé diligente en cuidar tu vida espiritual, olvídate de lo que tenga que ver con alimentar tu carne, sé diligente con tu vida de oración, tu servicio, tu vida devocional. Sé diligente en cuidar tu comunión con Dios, de eso depende el resto de tu vida, con eso aplastas la obra de la carne. Recuerda: en la santidad encontraremos la mejor forma de vivir la sexualidad.

"Pero yo les digo que cualquiera que mira a una mujer
y ***la codicia*** *ya ha cometido adulterio*
con ella en el corazón".
Mateo 5:28. (Énfasis del autor).

La codicia tiene que ver con un apetito excesivo y desesperante. Una ansiedad por tomar algo y tenerlo, es apetecer algo desesperadamente. Algunos transpiran la codicia sexual, sus miradas son flechas cargadas de lujuria y codicia, la lujuria se alimenta de la codicia. Guarda tus ojos y corazón de ella, aléjate de escenas provocativas en la computadora o en la calle, no es fácil pero debes cuidarte. Debes ser determinado en eso, debes proponerte ver, oír o tocar solo lo que el Espíritu Santo quiere que oigas, veas o toques, esa es una decisión radical.

"Hice un pacto con mis ojos,
de no mirar con codicia sexual a ninguna joven".
Job. 31:1 Nueva Traducción Viviente.

La lujuria se caracteriza por la codicia, es un deseo vehemente, es adrenalina corriendo por tus venas cuando ves a alguien que te atrae. No digo que sea malo que alguien te atraiga, digo que te cuides de la codicia, ese deseo desmedido por tener algo a cualquier precio. Recuerda que cuanto más lejos estés del fuego, menos probabilidades tienes de quemarte.

La codicia no piensa, actúa sin medir consecuencias o considerar situaciones. La codicia domina y esclaviza, actúa mucho antes de actuar, por eso Jesús dijo que la codicia es un adulterio consumado, porque ya se consumó en la mente, y solo será cuestión de tiempo para el siguiente paso.

No caigas en las trampas de "la insaciable", ella tomará todo de ti sin tregua y sin consideraciones, te dejará vacío, mientras duermes en el placer que al final se convertirá en una cárcel, remordimientos, errores y mucho dolor.

CAPÍTULO 8

¿QUÉ HAGO PARA RESISTIR LA PRESIÓN?

Mantente bien aferrado a tus principios para no caer, agárrate fuerte y no caerás. Nadie puede obligarte a darle la espalda a tus convicciones, pero tú debes decidir. Cuando esa oportunidad en realidad es una oportunidad de pecar, es una "oportunidad tóxica". Asegúrate de que tu palabra y tu voluntad sean respetadas. No haces lo que quieres sino lo que tu maestro Jesús quiere.

Carlos Navas

No puedes evitar que empujen, pero puedes evitar caer

En tu grupo de amigos o compañeros existen reglas, normas o hábitos y se espera que tú te adaptes a ellas si quieres ser parte del grupo. El problema se presenta cuando el grupo quiere que vivas y hagas cosas que son totalmente contrarias a la Palabra de Dios, si no lo haces no te aceptarán. También tu novio o novia pone reglas, y a veces esas presiones no están alineadas al plan de Dios para tu sexualidad. No digo que sea fácil soportar la presión, pero no puedes darte por vencido. El dilema es, ¿actuarás como los demás o serás fiel a tus convicciones?, esa es la decisión elemental con el asunto de las presiones.

Cuando conocí a Rosario (mi esposa), comenzamos a salir como amigos junto con otros jóvenes de la iglesia. Un día fuimos a divertirnos a un parque con juegos como la montaña rusa y cosas como esas. Para hacer corta la historia, nos subimos a uno de esos juego mecánicos cuya dinámica consiste en sentarte, luego gira a mucha velocidad, y posteriormente comienza a moverse de un lado a otro con mucha fuerza, el nombre es El Tagadá, muy popular en El Salvador. El objetivo es sacarte de tu asiento y caer en el centro de la rueda, obviamente con algunos golpes de paso y la vergüenza de rebotar por todos lados haciendo el ridículo frente a la mujer que te gusta. Como te imaginarás no podía fallar, me sujeté muy fuerte y pensé "por nada del mundo caeré", no tengo idea de cuánto tiempo estuvimos allí, pero para mí fue una eternidad, la máquina se movía con tanta fuerza que levantaba mi cuerpo literalmente, rebotaban mis piernas de un lado a otro pero no caía, todo terminó justo cuando faltaba un segundo para arrancar mis brazos, ¡uf! Claro que al bajar parecía que todo lo tenía bajo control, pero por dentro estaba aterrado. ¿Por qué te cuento esta historia?, simplemente no podía evitar que empujaran, pero nunca caí. Similar es la presión sexual, te rodea por todos lados y será imposible evitarla, está en los medios de comunicación, tus amigos, la web y hasta en tus hormonas, pero lo que puedes y debes hacer es mantenerte bien aferrado a tus principios para no caer, agárrate fuerte y no caerás. La Biblia dice:

*"**No se amolden** al mundo actual, sino sean transformados mediante la renovación de su mente. Así podrán comprobar cuál es la voluntad de Dios, buena, agradable y perfecta".*
Romanos 12:2. (Énfasis del autor).

Observa la forma de una galleta o un pastel, lucen justo como era el molde que las contenían. Por un momento tenían su propia naturaleza, consistencia y forma, pero después del proceso tomaron la forma del molde que las contenía. La Biblia te dice, no tomes el molde del mundo, no dejes que el mundo ponga forma a tus convicciones, tus hábitos o la manera de vivir tu sexualidad. No te amoldes a los parámetros, ideas o costumbres de este mundo. Hollywood, las telenovelas, la web, otros amigos o tu novio(a) quieren que te ajustes a lo que ellos quieren; que hagas lo que ellos hacen y tengas su manera de ver las cosas, que sigas la corriente y la costumbre de moda. Si todo el mundo envía fotos de su cuerpo desnudo, según ellos tú también debes hacerlo. Si todo el mundo está practicando sexo, entonces tú también debes hacerlo. Simplemente quieren que sigas su corriente, que hagas lo que el grupo hace o lo que alguien quiere que hagas y si eso no está ligado a tus principios cristianos pues qué importa, simplemente no tomes tan en serio ese asunto de tu "religión" e ignora esa voz, después de todo, lo vas a "disfrutar" como todo el mundo lo está disfrutando, el mundo quiere moldearte, quiere definir tu forma de vida.

¿Qué utiliza para obligarte? Esa presión constante por moldearte está respaldada por un arma con la que quiere obligarte a ceder: MIEDO. Te presionan y obligan, sembrando miedo, ¿a qué?, a lo que dirán tus amigos y amigas, a lo que pensará tu novio, a sentirte desadaptado, a quedar aislada, a que te vean como un extraterrestre, un "alien", una religiosa aburrida y medio loca, bueno, todas esas cosas a las que le temes. Ese miedo somete a algunos, los tumba y ceden. Otros, luchan pero no están seguros por cuánto soportarán. Pero algunos llegarán hasta el final. Están dispuestos a llevar el asunto hasta las últimas consecuencias por sus convicciones, enfrentan ese miedo y viven su paquete de principios superiores sin importar el molde de este mundo, tú debes ser parte de ese grupo.

Cuando esa presión te cae encima, empujándote para no vivir sexualmente santo te preguntas: "¿Qué pasará si no hago lo que ellos quieren?".... mmmm... considera también esta opción: "¿Qué pasará si lo hago?"... ¿qué puedes perder, qué riesgos corres, qué está de por medio, y si las cosas no salen como esperabas y si lo peor te sucediera a ti? Por alguna razón que no entiendo, muchos especulan que pueden juguetear con su sexualidad y pensar que nada va a pasar, aunque a otros les haya ido muy mal. Es absurdo, si ya pasó antes, si ya otros tuvieron que enfrentar las consecuencias de su jugueteo, es muy probable que tú seas el próximo.

Pablo le escribió a su discípulo Timoteo: *"Esfuérzate por presentarte a Dios aprobado, como obrero que no tiene de qué avergonzarse..." 2 Timoteo 2:15*. Amigo mío, yo sé que no puedes evitar que te empujen, pero sí puedes evitar la caída, esfuérzate por estar aprobado por Dios y sin nada de que avergonzarte. Te debates por quedar aprobado para tu amiga o tu novio, ¿a quién vale la pena agradar?, ¿con quién ganas y con quién pierdes? Piénsalo, no dudo que la batalla sea ruda, claro que lo sé, pero esfuérzate por agradar a Dios, nunca tendrás de qué arrepentirte cuando vives de esa manera, recuerda: Dios y tú son mayoría, no estás solo.

El mundo mira la vida de manera muy diferente a la Biblia y quiere que tú la mires igual. Al estar sometido a esas ideas y conceptos cada día por todo el día, llegará un momento en que lo verás natural, normal y de moda. Pensarás que es lo correcto, y lo aceptarás como bueno. Cuando en tu mente lo aceptas, el siguiente paso es practicarlo. Todo cambio de conducta comienza en tu mente.

Como hijos de Dios no podemos vivir aislados de la sociedad, no podemos evitar las presiones a vivir en contra de un comportamiento bíblico, sin embargo, ten en cuenta esto: no estás obligado a hacer lo que el mundo quiere, honestamente no te sentirás bien al hacerlo, perderás tu identidad y no te gustará en lo que te convertirás.

Piensa en algunos personajes de la Biblia que soportaron el peso de la presión, hay varios, tal vez recordaste los clásicos, aquellos que nos enseñaron que soportar vale la pena, ¿quiénes?, allá vamos:

Daniel. El libro de Daniel comienza con la historia de este joven brillante y sobresaliente. Pero las cosas no fueron fáciles para este héroe de la firmeza y rectitud. El rey de Babilonia quería adueñarse de lo mejor de Israel (Daniel 1: 3-4), no me sorprende, el mundo quiere lo mejor de Dios, el resto ya lo tiene. Amigo, cuando tú decides vivir sexualmente santo es cuando el mundo pone su vista en ti, no lo olvides y estarás alerta en la batalla. Tus amigos no tienen conflicto porque hace tiempo cedieron, tus amigas no tienen ninguna batalla porque son parte del sistema. Sin embargo, tú sí la tendrás porque estás luchando por ser firme a la verdad que crees, y no ser moldeado por el mundo.

El asunto con Daniel y sus amigos era este: vivirían en el palacio del rey, comerían de su comida, hablarían su lengua, serían educados con sus principios y sus nombres serían cambiados por nombres caldeos. Daniel y sus amigos dijeron, "no queremos, no nos contaminaremos, no nos pongan ese molde" (Daniel 1:5-8). Daniel "propuso" NO CONTAMINARSE. Nadie puede obligarte a darle la espalda a tus convicciones, pero tú debes DECIDIR, tú haces el propósito de seguir los principios y verdades que guiarán tu vida. Si un artista tiene una manera de pensar diferente acerca de la sexualidad, será su problema. Si tu novio(a) o amigos quieren algo diferente, deberás mantenerte firme. Algunas verdades y principios simplemente no están en venta, no son negociables, pero esa decisión es solo tuya. Presentarte delante de Dios aprobado es un camino que tú decides andar, no importa lo que quieran imponerte o proponerte, tú eres parte de una generación luchadora y firme, valientes que enfrentan cualquier oposición a su fe.

Daniel y sus amigos fueron evaluados y al final del proceso fueron encontrados superiores a los demás, eran los mejores. Dios los honró porque vivir un estilo de vida llamado santidad a Jehová, es la mejor manera de vivir. Dios honrará tu valor y tu fe, no cedas a la presión. Sus rostros, capacidades y desempeño eran sobresalientes, evidencia de una vida llena de Dios, presentarte delante de Dios aprobado siempre será tu mejor opción (Daniel 1:12-21).

"Y entonces ¿qué hago con la presión?"...
Haz el propósito de no contaminarte, sé firme,
Dios te honrará.

José (Gen.39). Le damos la bienvenida a un buen amigo que sabe de soportar presión sexual. La historia de José es complicada y larga, así que nos vamos de un solo a la alcoba de su jefa, nada menos que la esposa del capitán del ejército de Egipto: Potifar. Su esposita seguramente bella entre las mujeres de Egipto le puso el ojo a José, quien estaba a cargo de la casa del capitán. Después de un fresco baño, la señora Potifar tuvo un arranque de lujuria favorecido por la ausencia de su esposo, de hecho no había nadie en casa. El momento era soñado, José estaba a la distancia de una orden y lo alcanzó. Aquel joven apuesto se presentó y la escena era contundente, una hermosa mujer sola en el cuarto después del baño y dispuesta a todo sin pensarlo más. Amigos, eso se llama presión sexual de la intensa. ¿Qué hubieras hecho tú?..., mejor ya no sigas pensando tu respuesta porque vas a pecar con tu mente.

Volvamos a la vida de José. El acoso se hizo apremiante y continuo, el "No" de José era inaceptable para "la señora Potifar", así que presionó más y más. Continuamente, sin tregua y contundente, su deseo la llevó a colgarse de la ropa del joven y ese día el asunto estalló. José corrió, huyó de aquel lugar mientras su traje hecho a la medida por un exclusivo diseñador de Egipto quedaba prendido entre los dedos de la señora de la casa, el resto es historia.

No coquetees con el mundo, no coquetees con tu sexualidad porque quedarás atrapado. José respondió a esta mujer con sus valores y su temor de Dios, le dijo que no podía ser desleal a su jefe y a su Dios. El mundo tiene valores diferentes a los tuyos, no esperes que lo entiendan, simplemente vive conforme a tus principios y luego a correr. Sí, a correr. Hay momentos en los que huyes como valiente y este era uno de esos. No te quedes a dialogar con la lujuria, sal de allí o te atrapará. Cuando el ataque se vuelve intenso, muchos caen. Al principio eres fuerte para sostenerte y soportar, pero ante la presión constante muchos no soportan y se desploman, por eso es mejor correr y dejar atrás tanta presión. Creo que me arriesgaré a decirte que primero corras y después ores y reflexiones, porque ante tanto deseo, dudo que logres concentrarte para orar..., mejor corre.

Cuídate de la palabra OPORTUNIDAD, ¿de qué hablo? En el mundo te enseñan que las oportunidades se atrapan con las garras y no se sueltan, en un sentido general eso es bueno, pero en ocasiones se presentan "oportunidades tóxicas", aquí es donde debes soltarla y correr. Cuando esa oportunidad en realidad es una oportunidad de pecar, es una "oportunidad tóxica". Al punto al que quiero llegar, es que cuando dejas pasar una oportunidad, automáticamente te tildan de débil, tonto, incapaz, perdedor, etc. Cuando pierdes una oportunidad relacionada con tu sexualidad, inmediatamente el sistema se activa y piensas igual: "mmmm...

esta oportunidad muchos la quisieran. Estar con esta mujer y en estas condiciones. ¿Cuántos quisieran estar con una mujer así?, y más *aún si ella te lo está pidiendo*". El sistema está trabajando y te dice, "no seas tonto, cobarde, perdedor, debes hacerlo, es tu oportunidad", estás ante un caso de "oportunidad tóxica". Es la hora de correr, una "oportunidad tóxica" en realidad es una trampa, esa oportunidad no es para ganar sino para perder tu libertad, tu santidad, tu paz y hasta el plan de tu vida.

"Y entonces ¿qué hago con la presión?".
Párate firme en tus valores y temor de Dios,
y si la presión se pone peor... ¡¡¡CORREEEEE!!!

¿Cómo manejar este rollo de la presión sexual?
En una sociedad que enaltece el sexo a cualquier precio o expresión, tienes que aprender a soportar y evitar la presión sexual:

"Dichoso el que ***resiste la tentación*** *porque, al salir aprobado, recibirá la corona de la vida que Dios ha prometido a quienes lo aman".*
Santiago 1:12. (Énfasis del autor).

¿Cuánto piensas que puedes aguantar?, ¿cuánta presión eres capaz de soportar? Tarde o temprano estarás expuesto a las presiones sexuales, ¿qué harás?, la manera de estar preparado para las presiones sexuales es que conozcas tus debilidades y anticipes los golpes para evitarlos. Alguna pareja de buenos jóvenes cristianos se reunieron para orar y terminaron metiendo sus manos en donde no debían, no es que ellos eran malos y perversos, simplemente no sabían que la presión sería intensa y no podían aguantar tanto. No te sobreestimes, tal vez no eres tan fuerte como piensas, es mejor que te prepares y no corras riesgos. Para algunos no hay límites, todas las presiones son difíciles de resistir. Cómo sea, la noticia del día es esta: "Sobre toda medida de presión sexual, puedes vencer", pero debes estar preparado y no coquetear con la tentación sexual.

"Ustedes no han sufrido ninguna tentación que no sea común al género humano. Pero Dios es fiel, y no permitirá que ustedes sean tentados más allá de lo que puedan aguantar. Más bien, cuando llegue la tentación, él les dará también una salida a fin de que puedan resistir".
1 Corintios 10:13

Tú puedes decidir ahora, justo ahora, cuando todo está en calma, con tus hormonas quietas y sin presión. En este momento puedes tomar la decisión correcta, y cuando estés en la batalla, sabrás cuál es la puerta para salir.

No habrá mucho tiempo, la atmósfera se pondrá intensa y las alarmas se activarán, será la lucha entre lo que quieres y lo correcto y el margen de tiempo es mínimo. Saber desde ahora cuál decisión es la correcta te ayudará a salir de allí más rápido: "Haré lo correcto, no lo que quiero"... "Simplemente digo NO al pecado sexual"... "No haré algo que no quiera hacer"... "Cuando sienta el acoso de la tentación sexual, correré, no la dejaré avanzar". ¿Verdad que tomar esas decisiones ahora es más fácil?, eso es anticipar el ataque, es ubicar la puerta de emergencia previo al terremoto.

Asegúrate de que tu palabra y tu voluntad sean respetadas. Si tu novio no respeta tu "No", entonces piensa bien las cosas porque no respetará ninguna otra decisión que tomes. Y por supuesto, tú debes respetar el "No" de otros y el tuyo. No te inquietes por lo que pensarán los demás, te aseguro que a la hora de las consecuencias muy pocos estarán contigo, en serio muy pocos, y aun los pocos que queden no podrán hacer mucho, no se te olvide que cuando vengan las consecuencias del pecado sexual solo tú serás responsable de ellas y tu deberás enfrentarlas.

"Entre ustedes ni siquiera debe mencionarse
la inmoralidad sexual, ni ninguna clase de impureza
o de avaricia, porque eso no es propio
del pueblo santo de Dios.
Tampoco debe haber palabras indecentes,
conversaciones necias ni chistes groseros,
todo lo cual está fuera de lugar;
haya más bien acción de gracias.
Porque pueden estar seguros de que nadie que sea
avaro (es decir, idólatra), inmoral o impuro tendrá
herencia en el reino de Cristo y de Dios.
Que nadie los engañe con argumentaciones vanas,
porque por esto viene el castigo de Dios sobre los que
viven en la desobediencia.
Así que no se hagan cómplices de ellos.
Porque ustedes antes eran oscuridad, pero ahora son
luz en el Señor. Vivan como hijos de luz
(el fruto de la luz consiste en toda bondad,
justicia y verdad)

y comprueben lo que agrada al Señor.
No tengan nada que ver con las obras infructuosas
de la oscuridad, sino más bien denúncienlas,
porque da vergüenza aun mencionar
lo que los desobedientes hacen en secreto".
Efesios 5:3-12

El consejo de Pablo es: *"NO LO HAGAS, NO PARTICIPES, di que NO"*. Ahora que todo está bajo control es el mejor momento para decir NO CAERÉ en las trampas de la sexualidad ilícita. Di "NO" a ti mismo:

"Luego dijo Jesús a sus discípulos: —Si alguien quiere
ser mi discípulo, ***tiene que negarse a sí mismo****,*
tomar su cruz y seguirme.
Porque el que quiera salvar su vida, la perderá;
pero el que pierda su vida por mi causa, la encontrará.
¿De qué sirve ganar el mundo entero si se pierde
la vida? ¿O qué se puede dar a cambio de la vida?".
Mateo 16:24-26. (Énfasis del autor).

Entonces, el punto es morir a tus propios deseos si estos van en contra del plan de Dios. Es la parte del profundo compromiso cristiano, es la parte en la que te conviertes en un verdadero discípulo de Jesús, **no haces lo que quieres sino lo que tu maestro Jesús quiere.** ¿Quién es un discípulo de Jesús?, alguien que refleja el carácter de Cristo en donde quiera que se encuentre, eso incluye tu dormitorio, el baño, la sala de tu novia, tu escuela, tu lugar de trabajo, un discípulo no importa donde se encuentre se comportará como Jesús se comportaría. Vive con el compromiso de hacer lo que Dios quiere, haz el propósito de luchar por agradar a Dios y obedecerlo, así lograrás vivir sexualmente santo.

¿Qué riesgos corren los que coquetean con la tentación sexual? El famoso tema de los embarazos no deseados, enfermedades de transmisión sexual, deshonra, una reputación pisoteada porque de repente todo el mundo lo sabe, complicaciones en el plan de tu vida, la responsabilidad de ser padres o madres antes de tiempo, con sus muchas frustraciones y dolor. Matrimonios prematuros que terminarán en fracaso, madres solteras, abortos, estudios y carreras truncadas, pérdida de la sensibilidad y pureza sexual, incapacidad de distinguir el verdadero amor, desvalorización, menosprecio, baja autoestima, pecado, pérdida de la integridad, remordimientos, dolor, culpabilidad.

"Para los puros todo es puro, pero ***para los corruptos e incrédulos no hay nada puro****. Al contrario, tienen corrompidas la mente y la conciencia".*
Tito 1:15. (Énfasis del autor).

"Tienen los ***ojos llenos de adulterio y son insaciables en el pecar****; seducen a las personas inconstantes; son expertos en la avaricia, ¡hijos de maldición!"*
2 Pedro 2:14. (Énfasis del autor).

Le das rienda suelta a tus deseos sexuales fuera del plan de Dios y la mente se enferma. La conciencia se quebranta y entorpece, el deseo te gobierna y pierdes la pureza. Te rodea una generación enferma de sexo, enfocada en satisfacer todo lo que su cuerpo exija sin considerar límites, responsabilidades ni consecuencias, nunca ha sido seguro vivir así, nunca ha sido de sabios correr alocadamente ignorando las señales que por alguna razón están allí, la principal es protegerte.

Nadie quiere echarte a perder la diversión. Ni Dios, ni tus padres, ni tus líderes. Las reglas son otra manera de decir "te amo". Las reglas te protegen y protegen a los que te rodean. Soporta la tentación sexual porque vale la pena llegar al final del día con la paz en tu corazón de que todo está en orden y podemos seguir con el plan original, puedes continuar con tus sueños. No dejes que la presión transforme un corazón sensible a Dios, temeroso del pecado y sobrio, en una máquina alocada y hasta enfermiza de sexo, soporta la presión sexual, no te arriesgues, hay mucho de por medio.

En concreto ¿qué puedes hacer?

- Toma conciencia que tarde o temprano tendrás presiones que enfrentar en tu sexualidad.

"Así mismo serán perseguidos todos los que quieran llevar una vida piadosa en Cristo Jesús".

2 Timoteo 3:12

- Desarrolla una fuerte relación personal con Dios. Tu tiempo devocional te fortalece para enfrentar la batalla. Lee la Biblia cada día y ora. Solo de Dios vendrá la fuerza para soportar la presión.

- Desarrolla una fuerte amistad con otros cristianos comprometidos. Si las influencias negativas te pueden afectar, las influencias positivas te pueden fortalecer.

- No escondas tus convicciones, principios y valores. Ser cristiano no es un delito y esa actitud pone al frente tus límites y los demás deberán respetarlos.

"Pero Pedro y Juan replicaron:
—¿Es justo delante de Dios obedecerlos a ustedes
en vez de obedecerlo a él?
¡Júzguenlo ustedes mismos!
Nosotros no podemos dejar
de hablar de lo que hemos visto y oído".
Hechos 4:19-20

- Que los demás conozcan tus límites, así te evitarás incomodidades. Si tus amigos o compañeras conocen que tú no quieres complicaciones en tu sexualidad, entonces es más probable que dejen de presionarte y de invitarte a situaciones que no te gustan.

- Tú puedes establecer límites sin aislarte y sin ser su enemigo. Que definas límites para vivir sexualmente santo no significa que eres un alienígena o una distorsión de la naturaleza. No cierres las puertas a los demás, sé paciente, muy pronto llegará el momento en que necesitarán a alguien diferente y allí estarás listo. No debes convertirte en un enemigo público solo por decidir vivir sexualmente santo.

- Lucha por tus convicciones, supera los obstáculos, vale la pena si pones tus ojos en el galardón. El éxito viene como resultado de enfrentar los obstáculos, sin obstáculos no hay verdadero éxito. Enfrenta esa presión y véncela, luego disfruta tu recompensa.

"Al que venciere, le daré que se siente conmigo en mi trono, así como yo he vencido, y me he sentado con mi Padre en su trono".
Apocalipsis 3:21 (RVR 1960)

Es imposible alcanzar la corona sin pelea. La presión vendrá y te enfrentará, deberás ser valiente y pelear con sabiduría y estrategia. Sin pelea no se puede conseguir la victoria, vence la presión sexual y disfruta el galardón.

CAPÍTULO 9

PUREZA SEXUAL. ¿CÓMO LO HAGO?

Pureza sexual va más allá de lo que haces,
es algo que tú eres. Comienza con la limpieza de tu corazón, decide
abandonar lo que contamina tu sexualidad.
Hay quienes corren como cobardes,
pero otros corren como valientes. El poder del Espíritu Santo
es lo que en realidad te hará libre de esas cadenas sexuales.
Carlos Navas

Tu cuerpo es el templo del Espíritu Santo... ¡Purifícalo!

"Huyan de la inmoralidad sexual...
el que comete inmoralidades sexuales
peca contra su propio cuerpo".
1 Corintios 6:18

¿En qué piensas cuando lees "pureza sexual"?

Algunos creen que esto tiene que ver con "cero" sensaciones o tentaciones sexuales. Que si una chica exuberante y cautivadora está frente a ellos, solamente sentirán el deseo de orar para que reciba la unción del Espíritu Santo. Desde ese punto de vista es muy probable que no te consideres candidato y ni quisieras serlo para semejante cosa llamada, pureza sexual.

Pureza sexual tampoco es no tener relaciones sexuales

Me refiero a que algunos no están teniendo relaciones sexuales, pero están inmersos en pornografía, o teniendo todo tipo de manoseos, etc. Solo porque no estés acostándote con alguien, no significa que estés en pureza sexual. Algunos hace rato pasaron los límites, aunque no estén teniendo relaciones sexuales. Pureza sexual va más allá de lo que haces, es algo que tú eres.

Pureza Sexual es luchar por guardar sin contaminación tu sexualidad

Dios tiene un plan para tu sexualidad, faltar a ese plan es impureza sexual, mantenerte firme y fiel es guardarla. Piensa en la típica botella de agua purificada, su contenido está certificado y se define así: "agua purificada". Significa que no hay contaminantes, es pura, mantiene sus propiedades originales. Cualquier cosa que se mezcle o añada, la contamina, la ensucia. Mantenerte en el plan de Dios para tu sexualidad es **pureza sexual**, cualquier cosa que se mezcle y cambie la receta original, la contamina.

¿Cómo encaminarte hacia la pureza sexual?

1. **Comienza haciendo limpieza.**

Mi vehículo era un caos, restos de galleta, *snacks* de todo tipo, botellas vacías de refrescos, etc. Evidencias contundentes de un fin de semana de paseo familiar. Urgía volver al estado original, siguiente paso, *car wash*. Una hora de trabajo duro y todo había vuelto a la normalidad, buen olor, alfombras limpias, cero migajas, nada de botellas medio llenas, limpieza al fin. Si quieres encaminarte a la pureza sexual comienza haciendo una buena limpieza del lugar. Elimina la basura que está ensuciando tu mente y corazón (imágenes, fotos, conversaciones, sitios web, etc.).

- **Tu cuerpo es el templo del Espíritu Santo**

Estoy seguro de que lo has oído un millón de veces, veamos qué significa eso. Un santuario es un lugar consagrado para la adoración y búsqueda de Dios, tu cuerpo es eso, un lugar consagrado para adorar su nombre. Cada miembro de tu cuerpo debe estar alineado con tu fe y la adoración a Dios.

"¿O ignoráis que ***vuestro cuerpo es templo*** *del Espíritu Santo, el cual está en vosotros, el cual tenéis de Dios, y que no sois vuestros? Porque* ***habéis sido comprados por precio; glorificad,*** *pues, a Dios* ***en vuestro cuerpo*** *y en vuestro espíritu, los cuales* ***son*** *de Dios".*
1 Corintios 6:19-20 RVR1960. (Énfasis del autor).

¿Qué pensarías si alguien utilizara el edificio de tu iglesia para tener relaciones con una prostituta?, ¿o el altar para ver una película pornográfica o practicar la masturbación? Suena grotesco e indignante ¿verdad? Tu cuerpo también es un santuario que debe ser usado únicamente para glorificar a Dios, no para que sea el centro de satisfacción sexual de tu novio.

Pablo escribió *"... habéis sido comprados..."*. Como el esclavo era comprado para los usos que su amo definiera, así fuimos comprados por la sangre de Cristo. Tu cuerpo en realidad no es para que hagas lo que quieras o acostarlo con quien quieras. Como hijo(a) de Dios, tu cuerpo es del Señor y sirve como templo del Espíritu Santo. Cuando manoseas el cuerpo de tu novia o te dejas manosear por tu novio, estás ensuciando, deshonrando, contaminando algo que le pertenece a Dios y eso no es buena idea. Pureza sexual es mantener en buen estado la casa de Dios, tu cuerpo.

Tu cuerpo muestra la justicia de Dios: ***"...****Antes ofrecían ustedes los miembros de su cuerpo para servir a la impureza... ofrézcanlos ahora para servir a la justicia que lleva a la santidad".* Romanos 6:19. Una generación sexualmente santa está consciente de que todo su cuerpo debe alinearse a la justicia de Dios.

- **Es hora de limpiar el templo**

Querido amigo, para caminar en la pureza sexual limpia tu templo (tu cuerpo), de toda inmundicia. El rey Ezequías de Judá fue un gran rey, él restauró la comunión entre Dios y el pueblo, abrió las puertas del templo y ordenó su limpieza:

*"Y les dijo:...**santificad la casa** de Jehová...*
*y sacad del santuario **la inmundicia.***
2 Crónicas 29:5 RVR 1960. (Énfasis del autor).

"...** y entraron... para **limpiar la casa
de Jehová... Y entrando los sacerdotes dentro
*de **la casa de Jehová para limpiarla,***
***sacaron** toda la inmundicia..."*
2 Crónicas 29:15-16 RVR 1960. (Énfasis del autor).

La pureza sexual comienza con la limpieza de tu corazón. Saca esos desechos que contaminan tu sexualidad, ellos tarde o temprano te pasarán la cuenta y enfrentarás las consecuencias. Mientras tu mente esté siendo bombardeada con imágenes seductoras, conversaciones subidas de tono en el tema sexual, etc., será muy difícil mantenerte puro en tu sexualidad. Amigo, tienes la casa tan sucia que en medio de esa mugre se anida todo tipo de perversión sexual. Si quieres comenzar el camino hacia la pureza sexual es hora de hacer limpieza en tu casa, toma la escoba y comienza a sacar la mugre.

- **Una decisión personal**

Ezequías tomó una decisión trascendental:

"Ahora, pues, ***yo he determinado*** *hacer pacto con Jehová el Dios de Israel...".*
2 Crónicas 29:10 RVR 1960. (Énfasis del autor).

Él **decidió** restaurar la comunión con Dios, **decidió** abrir las puertas del templo, **decidió** limpiar la casa y preparar el lugar para la adoración al Señor, Ezequías ***DETERMINÓ*** todo eso. Cuando se trata de Pureza Sexual no hay fórmulas mágicas. Algunos me buscan tratando de encontrar la fórmula que hará más fácil y llevadero el camino, lo siento no la hay, no de la manera como tú lo quieres o piensas, lo que tenemos son **DETERMINACIONES** personales contundentes. Decide abandonar lo que contamina tu sexualidad, **decide** vivir en **pureza sexual**, Dios actuará a partir de esas decisiones valientes. Ezequías se dispuso, tomó su propia decisión, nadie puede hacerlo por ti, esa es tu decisión. Limpia tu casa espiritual, abre las puertas del "templo del Espíritu Santo" (tu cuerpo) para adorar a Dios.

- **Acciones concretas**

Llegó el momento de accionar. Evalúa con quién estás saliendo, quiénes son tu compañía, la música que estás metiendo a tu cabeza, libros o revistas que alimentan tus ideas, imágenes y fantasías, películas, telenovelas, programas, juegos, caricaturas, espacios comerciales en cualquier medio, fotos, computadora, dispositivos, aplicaciones, sitios web, redes sociales, en fin, toma decisiones, algunas de esas cosas deben ser evacuadas o desinfectadas, limpia el templo. Para encaminarte a la pureza sexual saca del corazón toda contaminación que te corrompe sexualmente.

"Antes bien, vestíos del Señor Jesucristo,
*y **no penséis en proveer** para las lujurias*
de la carne".
Romanos 13:14 La Biblia en Lenguaje Actual.
(Énfasis del autor).

2. **Cuídate.** Si quieres caminar firme en la senda de la pureza sexual, quiero decirte algo contundente: ¡cuídate!, no te expongas al pecado sexual.

- **Cuida tus deseos y pasiones, guarda tu corazón**

"Porque del interior del hombre salen los malos
*pensamientos... **el adulterio, la inmoralidad sexual...***
*Estas cosas son las que **hacen impuro** al hombre...".*
Mateo 15:19-20 Versión Dios Habla Hoy.
(Énfasis del autor).

¿De dónde viene la impureza sexual?, es fruto de un corazón entregado sin límites a la tentación sexual hasta dar a luz el pecado porque no tiene restricciones. Es una lujuria que no encontró ningún estorbo, es un deseo que se dejó correr sin control. Si sueltas la rienda, si no hay estorbos, si no bloqueas tu carne, correrá sin control desde tu interior hasta consumar el pecado. Debes notar que buena parte de la solución está en esforzarte por fortalecer tu corazón espiritualmente y llenarlo con valores espirituales rectos, no le des rienda suelta a tus deseos sexuales pecaminosos. Fortalece la presencia de Dios en tu corazón, fortalece tu hombre interior. Es como el niño que sin estorbo y reprensión lo dejas hacer "lo que le dé la gana", estarás estropeando su carácter y formando un rebelde empedernido y sin causa, así es tu hombre interior.

- **Protege tu corazón**

*"Sobre toda cosa guardada, **guarda** tu corazón;*
Porque de él mana la vida".
Proverbios 4:23. (Énfasis del autor).

En la versión Dios Habla Hoy se lee:
***"Cuida** tu mente más que nada en el mundo,*
*porque ella **es fuente** de vida".*
(Énfasis del autor).

Nuestro corazón, albergue de sentimientos y deseos, dicta en buena parte la manera cómo vivimos. Lo que el escritor de Proverbios dice es que tengamos cuidado con nuestros sentimientos y deseos, que nos aseguremos y concentremos en esos deseos que nos mantendrán en el buen camino. Asegúrate que tus deseos te lleven hacia la dirección correcta: pureza sexual. Pon límites a tus deseos, no vayas detrás de todo lo que veas. El corazón es el depósito de toda sabiduría y la fuente de todo lo que afecta la vida y el carácter.

Revisemos algunos versículos del libro de Proverbios que relacionan nuestro corazón y la forma en que este dicta nuestro comportamiento diariamente, agregaré en medio del texto comentarios entre paréntesis para ver la relación:

Prov. 6:20-29.

"Hijo mío, obedece el mandamiento de tu padre y no abandones la enseñanza de tu madre; (21) Grábatelos en el corazón; ***(guarda esos mandamientos en tu corazón porque es la fuente de sabiduría, comportamiento y carácter)...*** *(22) Cuando camines, te*

servirán de guía; ***(para tomar decisiones)****; cuando duermas, vigilarán tu sueño; cuando despiertes, hablarán contigo.* ***(Las ideas, principios y conceptos en tu corazón te guiarán diariamente serán el fundamento de tus decisiones)....*** *(24) Te protegerán de la mujer malvada, de la mujer ajena y de su lengua seductora.* ***(La obediencia al buen consejo te guarda del pecado sexual).*** *(25) No abrigues en tu corazón deseos por su belleza,* ***(no le des rienda suelta a esos deseos)*** *ni te dejes cautivar por sus ojos,* ***(cuídate de la seducción del pecado sexual)*** *(26) pues la ramera va tras un pedazo de pan, pero la adúltera va tras el hombre que vale. (28) ¿Puede alguien caminar sobre las brasas sin quemarse los pies? (29) Pues tampoco quien se acuesta con la mujer ajena puede tocarla y quedar impune".* ***(El pecado sexual traerá consecuencias).***

La obediencia a la Palabra de Dios mantiene tus deseos y afectos en pureza sexual. Cuando tu corazón se comience a inquietar con la tentación sexual, estórbalo, bloquéalo, minístralo, porque si lo dejas correr te llevará al pecado sexual, pero si lo detienes y lo ministras con la Palabra y la oración se fortalecerá y saldrás adelante de las tentaciones sexuales.

- **Es hora de correr... ¡Huye!**

Hay quienes corren como cobardes, pero otros corren como valientes. Cuando se trata de vivir en pureza sexual aprendes a correr, a huir como valiente.

*"**Huye** de las malas pasiones de la juventud*
*y esmérate en **seguir** la justicia,*
la fe, el amor y la paz, junto con los que invocan
al Señor con un corazón limpio".
2 Timoteo 2:22. (Énfasis del autor).

En este consejo para nuestro joven amigo Timoteo se le da un ***"HUYE"*** y un ***"SIGUE"***. Lo que ponga en peligro tu pureza sexual es mejor tenerlo lejos: amistades, noviazgo, música, redes, mensajes, lugares, visitas, fotos, etc. No digo que en sí mismo eso sea malo, digo que si esto pone en peligro tu pureza sexual mejor ***¡huye!*** Por el contrario, el texto nos empuja a "seguir" lo que vale la pena, unidos a los que buscan a Dios "con un corazón limpio", piensa y contesta: ¿de quién debo huir y a quién debo seguir?

- **Obediencia, un muro protector**

Ten en mente que cuando la tentación sexual te encuentra suele ser abrazadora, envolvente, depredadora y en esos momentos solo te podría salvar tu temor de Dios y no si estás "santo" o no. No esperes no sentir deseos, quizá eso nunca pasará. Recuerda que debes hacer lo correcto no lo que deseas. El temor de Dios es lo único que en algunos momentos te guardará. Vendrán oportunidades tóxicas para pasar un momento intenso en tu sexualidad: solos en la sala, un paseo en la playa, solo en tu cuarto, en fin, en ese momento será tu convicción lo único que te salvará, porque tu carne estará lista, y contra tu voluntad, simplemente por la convicción de que no es correcto, podrás detenerte y correr. No será tu capacidad de hablar en lenguas o reprender demonios, solamente la convicción de hacer lo correcto.

"Quien ***teme*** *al Señor* ***aborrece*** *lo malo;*
yo aborrezco... la mala conducta...".
Proverbios 8:13. (Énfasis del autor).

3. **Que entre el rey del hogar.** Al acercarnos al final de la historia del rey Ezequías, vemos la culminación de un plan que reventó en una explosión imponente de la Gloria de Dios.

"El rey Ezequías se levantó muy de mañana, reunió a los jefes de la ciudad y se fue con ellos al templo del Señor.... instaló también a los levitas en el templo del Señor...Entonces Ezequías ordenó que se ofreciera el holocausto sobre el altar... Toda la asamblea permaneció postrada hasta que terminó el holocausto... Así fue como se restableció el culto en el templo del Señor".
2 Crónicas 29:20-35

"Desde la época de Salomón... no se había celebrado en Jerusalén una fiesta tan alegre.... y el Señor los escuchó...".
2 Crónicas 30: 26-27

Estamos terminando y volvemos al principio. Ezequías restaura el templo y el pueblo está listo para adorar, pero más que eso, Dios está listo para escuchar y bendecirlos. Amigo, tu cuerpo es el templo del Espíritu Santo y cuando lo limpias de la impureza sexual, estás listo para adorar a Dios y Él para llenarte con su gloria.

Restaura tu comunión con Dios

El poder del Espíritu Santo es lo que en realidad te hará libre de esas cadenas sexuales. La presencia de Dios hace la diferencia en tu templo (tu cuerpo), eso te hace verdaderamente libre. Rompe las cadenas, llena tu vida, enciende un avivamiento, una pasión por Jesús que te haga anhelar y alcanzar la rectitud y una vida sexualmente santa. Limpia la casa de la mugre y luego adora para que su Gloria llene el templo.

Quiero terminar contando la historia de esta mujer ahora felizmente casada. Ella me contó que consumía una cantidad de pornografía exorbitante día a día, pasaba horas enteras frente al televisor y la computadora atrapada sin fuerzas para romper esa cadena. Un día me escuchó en un foro de preguntas y respuestas compartiendo principios y estrategias prácticas para vencer estas tentaciones sexuales. Ella me escribió algo que nunca olvidaré: "Pastor, le garantizo que el único que puede romper las cadenas de adicción al pecado sexual es el poder del Espíritu Santo. Solo cuando la presencia de Dios entró en mi corazón esas cadenas se rompieron de una vez por todas".

Querido amigo(a), no hay fórmulas mágicas y en serio quisiera tenerlas, pero solo el poder del Espíritu Santo te podrá hacer verdaderamente libre de todas esas adicciones. Búscalo, búscalo, búscalo en su Palabra, en la adoración, en la oración, congrégate, acércate a alguien que pueda ayudarte en la batalla. Te aseguro que Dios está listo para hacer cosas espectaculares en tu vida. Hazlo, vale la pena, el Espíritu Santo te ayudará.

"Eso mismo hizo Ezequías...
Todo lo que emprendió
para ***el servicio del templo*** *de Dios,*
lo hizo de todo corazón*...* *y* ***tuvo éxito****".*
2 Crónicas 31:20-21

Todo lo que emprendas por el templo de Dios (tu cuerpo), hazlo de corazón, vive en pureza sexual, limpia la casa, Dios prosperará tu esfuerzo.

Pasos para la pureza sexual

1. Limpia	2. Cuídate	3. Llénate
•Saca lo que contamina tu corazón.	• No te expongas al pecado sexual.	• Deja que su presencia te invada.

CAPÍTULO 10

SEXUALMENTE SANTO... ¿QUIÉN DICE QUE NO PUEDES?

¿Entiendes qué significa "perfeccionar" la santidad?,
sigue practicando, vuelve a intentarlo,
cuídate de no alimentar los pensamientos lujuriosos
que estimulan la tentación sexual.
Entre tú y Dios no hay espacio para otros principios o costumbres,
el verdadero amor sustenta y protege.
Carlos Navas

Cero contaminación

"sino, como aquel que os llamó es santo, ***sed también vosotros santos*** *en toda vuestra manera de vivir; porque escrito está: sed santos, porque yo soy santo".*
1 Pedro 1:15-16 (RVR 1960). (Énfasis del autor).

Dios nos manda a ser santos *"... en toda vuestra manera de vivir..."* La mayoría se siente incapaz de vivir un estilo de vida en santidad y cuando traemos esto al campo de la sexualidad es aún peor. Recuerda que santidad sexual significa que tu sexualidad está alineada con el diseño y propósito de Dios y eso es algo que puedes alcanzar.

¿Has visto una montaña de basura acumulada?, ¿has sentido el mal olor de las aguas contaminadas de un lago o río?, ¿has visto una nube de gases tóxicos emanando de un volcán en actividad?, ¿has notado los desastres que causan las sustancias tóxicas en contacto con el ser humano o el medio ambiente? Los desechos, la suciedad o las sustancias tóxicas son elementos que producen contaminación al ambiente, son peligrosos, causan enfermedades, deformaciones, mutaciones y la muerte. Cuando tu sexualidad se contamina corres peligro.

Sexualmente santo, ¿quién dice que no puedes?, sí se puede, y te animo a incorporar un principio en tu vida que te ayudará a lograrlo: **"CERO CONTAMINACIÓN".**

Aférrate a eso, marca tu corazón, sella cada día con esa premisa, fúndelo en tu mente, somete todo intento de sacarte de una sexualidad en santidad a ese escudo, simplemente di: cero contaminación. Déjame darte algunas ideas que te ayudarán a vivir de esa manera.

- **Practica la santidad y los contaminantes no te alcanzarán.**

*"...**limpiémonos de toda contaminación** de carne y de espíritu, **perfeccionando la santidad** en el temor de Dios".*
2 Corintios 7:1 (RVR 1960). (Énfasis del autor).

¿Practicas algún deporte?, ¿ejecutas algún instrumento?, ¿desarrollas algún tipo de arte? Si quieres mejorar en cualquiera de esas cosas, tendrás que practicar, ensayar, intentar muchas veces la técnica, practicar, practicar y practicar, solo así perfeccionarás la ejecución. Amigos, Pablo nos da una idea de cómo mejorar cada día nuestra santidad sexual: perfeccionándola con la práctica, entrenándote para la santidad, adquiere normas y métodos. Cuando decidí seguir a Dios firmemente una de las primeras cosas que debía cambiar era mi vocabulario, era terriblemente malcriado. Así que un día salí para la universidad y dije: "Está bien, hoy comienzo a hablar diferente, mi vocabulario debe reflejar mi fe, debe reflejar al Dios que he decidido seguir". Entré a la universidad y en un par de horas ya había fallado varias veces a mi propósito, me sentía muy avergonzado. Pensé que no tenía la capacidad de hablar diferente, solo notaba esas palabrotas cuando habían salido. De repente pensé que eso significaba que estaba avanzando, pues antes salían y no lo notaba. Ahora estaba consciente del problema y hasta me sentía mal, así que decidí seguir adelante. Al pasar los días algunas palabras fueron desapareciendo y tenía más control. ¿Entiendes qué significa "perfeccionar" la santidad?, sigue practicando, vuelve a intentarlo, inténtalo de otra manera, busca otra técnica, piensa cómo hacerlo mejor, vuelve a tratar. Otro día lejos de la TV en esos horarios complicados, borra algunos contactos, cuidado con los lugares en donde estás solo, sigue practicando tu técnica, te aseguro que disfrutarás la santidad sexual más pronto de lo que piensas. Y si caes, levántate y retoma el camino. Cero contaminación es perfeccionar la santidad.

- **Desinfecta el entorno y los contaminantes no te alcanzarán.**

*"...**purifiquémonos de todo lo que contamina el cuerpo y el espíritu**, para completar en el temor de Dios la obra de nuestra santificación".*
2 Corintios 7:1

Para estar lejos de la contaminación debes desinfectar el entorno. Has acumulado tóxicos por mucho tiempo, si quieres vivir limpio crea un ambiente limpio: *"...purifiquémonos de todo lo que contamina el cuerpo y el espíritu..."*. Este ambiente favorece el proceso para vivir Sexualmente Santo: *"...purifiquémonos para completar la obra de nuestra santificación"*. Saca la pornografía, las imágenes seductoras de tu celular, elimina archivos, aléjate de las conversaciones tóxicas, bloquea canales tentadores, saca dispositivos del dormitorio. Haz lo necesario, vivirás sexualmente santo si limpias tu atmósfera.

- **Fortalece la zona de guerra: TU MENTE, y los contaminantes no te alcanzarán.**

En la carta a los Romanos Pablo narra la batalla que él enfrentaba en su mente acerca de querer hacer lo correcto y no poder hacerlo, ¿no te suena familiar ese conflicto?, hasta a Pablo le sucedía:

"No entiendo lo que me pasa, pues no hago lo que quiero, sino lo que aborrezco".
Romanos 7:15
(Conozco 50 jóvenes que me han escrito lo mismo).

"pero me doy cuenta de que en los miembros de mi cuerpo hay otra ley, que es la ley del pecado. ***Esta ley lucha contra la ley de mi mente,*** *y me tiene cautivo. ... En conclusión,* ***con la mente*** *yo mismo me someto a la ley de Dios, pero mi naturaleza pecaminosa está sujeta a la ley del pecado".*
Romanos 7:23-25. (Énfasis del autor).

La lucha que nadie ve ¿qué pasa en la intimidad de tu mente?
Esta batalla es la pelea entre los principios de la Palabra que sabes que son la verdad y lo correcto, contra los deseos de tu cuerpo que buscan ser satisfechos de cualquier manera. Casi nadie tiene un problema en saber lo que es correcto, el conflicto es cuando tenemos que practicar lo que sabemos que es correcto. Esa es la lucha en tu mente, allí se dará el conflicto y allí tomarás la decisión final.

No contamines tu zona de guerra con minas o trampas enemigas. No le des rienda suelta a tu mente, estorba los sentimientos lujuriosos, también los pensamientos de pecado sexual y deseos que no convienen. Tu naturaleza misma correrá a eso, pero tú esfuérzate en tu principio de vida: **CERO CONTAMINACIÓN.**

Recuerda que la batalla es en tu mente, esa es la zona de guerra, allí llega la tentación sexual y los principios de rectitud de la Palabra de Dios, luego tú decides. Decide hacer lo correcto.

Cuídate de no alimentar los pensamientos lujuriosos que estimularán la tentación sexual. Por el contrario, llena tu cerebro de sabiduría, rectitud y justicia. Memoriza versículos bíblicos, escucha buenos mensajes, lee buenos libros, en fin, mete en tu cerebro cosas que valga la pena que se aniden en tus neuronas. Prepara a tu favor la zona de guerra.

- **Cuida la dieta y los contaminantes no te alcanzarán.**

"El rey les asignó raciones diarias de la comida y del vino que se servía en la mesa real... Pero Daniel ***se propuso no contaminarse*** *con la comida y el vino del rey, así que le pidió al jefe de oficiales que* ***no lo obligara a contaminarse****".*
Daniel 1:3-8. (Énfasis del autor).

El asunto era así, primero, la comida del rey de Babilonia estaba consagrada a sus dioses. Segundo, había alimentos que no les era permitido a los judíos comer. Por lo tanto, Daniel decidió permanecer fiel a sus convicciones y no contaminarse con la comida del rey.

Afuera hay manjares que están dedicados a la seducción sexual, al libertinaje sexual y ál pecado sexual, no está bien que los comas, aunque otros no lo entiendan, aunque se rían, se burlen o te cuestionen, **cero contaminación, no los comas.** La contaminación con el mundo nos roba su presencia, **no comas la comida del mundo**. Aunque el menú del mundo es seductor, te aseguro que no hay algo allí que sirva para alimentarte. Obviamente, me refiero a toda la oferta de sexualidad ilícita que el mundo ofrece, que no debemos consumir con nuestra mente, ojos o acciones.

- **Decídete y los contaminantes no te alcanzarán.**

"Después de todo esto, se me acercaron los jefes y me dijeron: "El pueblo de Israel, incluso los sacerdotes y levitas, ***no se ha mantenido separado*** *de los pueblos vecinos, sino que* ***practica las costumbres abominables*** *de todos ellos... De entre las mujeres de esos pueblos han tomado esposas para sí mismos y para sus hijos,* ***mezclando así la raza santa*** *con la de los pueblos vecinos. Y los primeros en cometer tal infidelidad han sido los jefes y los gobernantes".*
Esdras 9:1-2. (Énfasis del autor).

¿Recuerdas el concepto de santidad?, significa *"separado"*, *"apartado para el propósito de Dios"*. El problema con el pueblo de Dios en el texto leído era que *"no se habían separado"*. Se mantenían haciendo las cosas de los pueblos que les rodeaban, se metían con sus mujeres y vivían con los hábitos y costumbres de los pueblos paganos, practicaban sus abominaciones, hacían lo mismo, no eran una diferencia, no estaban separados, no vivían en el propósito y diseño de Dios, no eran santos.

Creo que ya te diste cuenta que vivir sexualmente santo no es algo que cae por arte de magia, tiene que ver con las decisiones que tomas. Algunos en el pueblo de Israel no querían separarse y abandonar las prácticas que contaminaban "la raza santa", y eso sigue sucediendo, algunos se mantienen pegados a las costumbres de los que no quieren vivir sexualmente santos.

Debes decidir separarte, y por favor, eso no significa que vivirás como ermitaño en una cueva en lo alto de una montaña, nada que ver. Hablo de que debes abandonar las costumbres, hábitos, conceptos y prácticas que no tienen que ver con vivir sexualmente santo. Si tú eres un hijo de Dios no puedes hacer lo que ellos hacen, y no te preocupes si ellos no entienden eso, tú has lo correcto, decide vivir en SANTIDAD. Ellos no entenderán por qué eres tan radical con tu sexualidad, y por favor no seas religioso ni santulón, pero sí esfuérzate en vivir CERO CONTAMINACIÓN, ellos verán el fruto de eso, la paz y la libertad que hay en eso.

Si eres una hija de Dios o un hijo de Dios tienes un llamado a la santidad:

"Seguid... la santidad, sin la cual nadie verá al Señor".

Hebreos12:14. (Énfasis del autor).

- **Que nadie se meta entre tú y Dios y los contaminantes no te alcanzarán.**

"No formen yunta con los incrédulos.
¿Qué tienen en común la justicia y la maldad?
¿O qué comunión puede tener la luz con la oscuridad?
¿Qué armonía tiene Cristo con el diablo?
¿Qué tiene en común un creyente con un incrédulo?
¿En qué concuerdan el templo de Dios y los ídolos?
Porque nosotros somos templo del Dios viviente.
Como él ha dicho: "Viviré con ellos y andaré entre ellos; yo seré su Dios, y ellos serán mi pueblo".
Por tanto, el Señor añade:
Salgan de en medio de ellos y ***apártense****.*
No toquen nada impuro, y yo los recibiré.

Seré para ustedes un Padre, y ustedes serán mis hijos y mis hijas, dice el Señor Todopoderoso".
2 Corintios 6:14-18. (Énfasis del autor).

¡Qué versículos!, creo que podemos escribir otro libro con ellos, es un llamado contundente a la comunión con Dios y a la separación con el mundo. Entre tú y Dios no hay espacio para nadie más, suena contundente y radical y tienes razón, así es.

Qué difícil es caminar sexualmente santos en una relación entre cristianos, ¿imagínate cómo es cuando solo uno es cristiano? Por eso nuestro amigo Pablo nos advierte "no hay comunión", no se puede, es complicado, y déjame decirte algo con un sabor algo ácido: si tú estás saliendo con alguien que no es cristiano y no tienes conflictos, yo evaluaría si en realidad tienes una vida de compromiso cristiano. Es muy, pero muy difícil si eres un verdadero hijo o hija de Dios que puedas convivir con alguien que no lo sea, tendrían que haber choques constantemente por asuntos de valores, principios, conceptos, hábitos, forma de ver las cosas, lugares para salir, algunas cosas para hacer, personas con quien compartir. *"¿Qué tiene en común un creyente con un incrédulo?"*.

Pablo dice que tu cuerpo es templo del Dios viviente y pregunta: *"¿En qué concuerdan el templo de Dios y los ídolos?"*. Tu cuerpo es templo de Dios, y ese templo no puede contaminarse con el de alguien que no tiene como motivo de adoración a tu Dios. Esta unión física, afectiva y hasta espiritual no funcionará, no hay espacio para nadie más entre tú y Dios.

El apóstol hace un llamado contundente: *"Salgan de en medio de ellos y apártense. No toquen nada impuro..."*. Es claro de nuevo el llamado a la santidad, a guardar el diseño y propósito de Dios, **cero contaminación**, el llamado es: *"No te expongas al pecado sexual"*.

Existe una razón para esa separación, Dios dice: *"Seré para ustedes un Padre, y ustedes serán mis hijos y mis hijas, dice el Señor Todopoderoso"*. ¿Logras ver ese detalle?, Él será tu Padre y tú serás su hijo o su hija, entre tú y Dios no hay espacio para otros principios o costumbres, no hay espacio para otras ideas que vayan en contra de Él, que nadie se meta entre tú y Dios. Ningún contaminante sexual debe separarte de tu Padre.

Observa algo más: *"Viviré con ellos y andaré entre ellos; yo seré su Dios, y ellos serán mi pueblo"*. Dios quiere entrar en tu vida, caminar a través de ella, Dios dirigiendo todo. Si quieres vivir sexualmente santo, no dejes que alguien más entre a poner reglas diferentes a las de tu Dios que te ama y protege. Él quiere meterse en tu relación, en tu noviazgo y matrimonio, quiere guiarlos, orientarlos, fortalecerlos: *"Viviré con ellos y andaré entre ellos; yo seré su Dios..."*. Si alguien en la relación no está de acuerdo con eso, entonces no podrá haber una intervención de Dios en la relación, es allí donde el reino de la carne y el pecado se fortalecerán y habrán riesgos y problemas. Solo cuando ambos están de acuerdo en los principios que guiarán la relación, los parámetros que definirán los límites, los fundamentos de su fe y vida espiritual, es cuando habrá una mejor perspectiva de santidad sexual. Sin eso, los caminos serán paralelos, pero lo que necesitamos es que sean caminos convergentes.

Cero contaminación significa *"aléjate de los agentes contaminantes"*, esa es la manera de caminar hacia la santidad sexual, tú puedes hacer eso.

Cinco palabras que te ayudarán a mantenerte sexualmente santo en el momento de la presión.

1. **Respeto.** Esto significa considerar y reconocer el valor de alguien o algo. Para mantenerte "cero contaminación", debes reconocer el valor de las personas, del cuerpo de otra persona y del tuyo, así como el valor de los lineamientos de Dios. Solo recuerda que Dios quiere que respetes su propósito y que respetes a sus hijos e hijas. Cuando has intimidado, engañado, persuadido o presionado a alguien para tener una relación sexual o cualquier forma de presión sexual cayendo en pecado, has irrespetado muchas cosas y eso no es buena idea.

"No reprendas con dureza al anciano, sino aconséjalo como si fuera tu padre. Trata a los jóvenes como a hermanos; a las ancianas, como a madres; a las jóvenes, como a hermanas, con toda pureza".
1 Timoteo 5:1-2

¿Logras ver cómo el principio de Pablo es relaciones basadas en el respeto? Recuerda cuando estés con tu novio(a) que Jesús está en él o ella. Esas cosas que estás haciendo con tu novia ¿lo harías frente a sus padres?, porque sí lo estás haciendo frente a Dios.

2. **Amor.**

"En esto consiste el amor a Dios: en que obedezcamos sus mandamientos. Y éstos no son difíciles de cumplir".
1 Juan 5:3

La Santidad sexual se refuerza por amor en varios sentidos:

- Amor a Dios.
- Amor por la persona con la que estás saliendo.
- Amor por aquella persona con la que compartirás el resto de tu vida.
- Amor por tus futuros hijos.
- Amor por ti mismo.

Los mandamientos de Dios *"...no son difíciles de cumplir"*. Cuando amas a alguien no cuesta complacerlo. Cumplirle a Dios es más fácil cuando cultivas una amistad profunda, cuando fortaleces una verdadera comunión con Él. No exagero al decir, que en esos momentos de estable comunión con Dios a través de la Palabra o la oración, no quieres ensuciar o perturbar esa comunión. Además, que sientes una fortaleza especial para mantenerte firme ante la tentación y no quieres echar a perder eso. Amar a Dios es una gran defensa contra el pecado sexual, no querrás arruinar esa comunión con una película pornográfica u otro pecado sexual.

El verdadero amor sustenta y protege. Acabo de ver un documental de un padre que vio a sus dos hijos ser arrastrados por una corriente submarina a una velocidad de casi 9 kilómetros por hora, en cuestión de minutos los perdió de vista, luchó hasta la última gota de sus fuerzas por encontrarlos y rescatarlos con vida, la historia tiene un final feliz, logró rescatarlos. Cuando lo entrevistaron, él dijo: "Puede sucederme lo que sea a mí, puedo morir, pero no quiero que le suceda absolutamente nada malo a mis hijos". Eso hace el amor, sustenta y protege. Cuando cuidas tu integridad sexual y la integridad sexual de otra persona, estás en realidad demostrando verdadero amor. Insistir en actividades que los desvían de la pureza sexual y los ponen en peligro, es quedar muy lejos de conocer y practicar el verdadero amor, el verdadero amor sustenta y protege.

Asegúrate de amar y que te amen de verdad. Guárdate y cuídate para la persona que un día será tu pareja. Puede que en este momento suene descabellado, pero te aseguro que cuando finalmente eso pase y estén juntos, no habrá episodios vergonzosos que confrontar, historias tristes que recordar o confesiones que hacer. Sé una persona honorable ahora, y lo serás el resto de tu vida.

3. **Obediencia.** Sé firme en cumplir a Dios antes que a cualquier otra persona, incluyéndote a ti mismo.

"A las ancianas, enséñales que sean reverentes en su conducta, y no calumniadoras ni adictas al mucho vino. Deben enseñar lo bueno; y aconsejar a las jóvenes a amar a sus esposos y a sus hijos, a ser sensatas y puras, cuidadosas del hogar, bondadosas y sumisas a sus esposos, para que no se hable mal de la palabra de Dios. A los jóvenes, exhórtalos a ser ***sensatos****".*

Tito 2:3-6. (Énfasis del autor).

Gran fruto de la madurez es la "sensatez", y el Apóstol Pablo nos impulsa a guiar a los jóvenes hacia ese lugar. Seamos "sensatos", mantente sexualmente santo, CERO CONTAMINACIÓN, sé sensato, sé obediente. Cuando estés en los momentos de presión, recuerda que tienes un compromiso firme con la obediencia a Dios. Hay momentos en los que solamente eso te sostendrá para no pecar. Puede que el deseo sea muy intenso, el lugar apropiado y el momento justo, la escenografía está lista y la única razón por la que no harás algo que te contamina, es porque estás comprometido con la obediencia a los principios de Dios. Esa será el ancla que no te dejará navegar alocadamente hacia aguas profundas, solo la obediencia.

4. **Proceso**. Por lo general, fallar en tu sexualidad será el resultado de procesos que van avanzando y será complicado controlarlos. Es resultado de la "curiosidad", "querer experimentar", "probar", ir avanzando en el jugueteo, hasta comenzar una caída libre por la escalera de la pasión. Después del primer beso, otro beso más largo, luego caricias más intensas, te va a gustar pero te asustarás y de alguna manera te detendrás, ese día llegarán has-

ta ese punto. Pero el camino ya habrá comenzado, mañana lo volverán a buscar, ambos sabrán que conversar no será suficiente, la relación habrá comenzado a girar alrededor de otro elemento: "placer sexual". Llegarán rápido al punto en el que se quedaron, y correrán para avanzar. Lo que está antes ya quedará obsoleto y aburrido, desearán correr por la aventura de lo que sigue, y te puedo asegurar que esa relación estará llegando a su final como tal, es decir, ya no interesará nada, solo experimentar, ha sido un proceso, las consecuencias estarán esperando, solo es cuestión de tiempo, vendrán de una u otra manera, pero vendrán.

"por tanto, os será este pecado ***como grieta que amenaza ruina****, extendiéndose en una pared elevada,* ***cuya caída viene súbita y repentinamente****".*
Isaías 30:1 (RVR 1960). (Énfasis del autor).

Interesante, el profeta dice que el pecado es como una grieta en la pared. No se desploma de un solo golpe, se va extendiendo poco a poco, ese pecado sexual es la grieta que amenaza la ruina que se acerca. Una escena subida de tono, una película pornográfica, un "toqueteo", otra caricia, pensamientos sexuales, otra tarde intensa con tu novio. Te sentiste mal y se detuvieron: "no volverá a pasar" —dicen—, pero volvió a pasar. Poco a poco una grada más en la escalera de la pasión. No lo has notado pero la grieta ha crecido, un poco más grande, la caída se acerca, está a una noche de distancia, a unas horas, será esta tarde mientras están solos de nuevo.

Se han confiado porque el tiempo ha pasado y no ha sucedido nada, estás confiado porque estás saliendo con esa persona y nadie se ha dado cuenta, pero la grieta es mayor y la caída será súbita y repentina. Finalmente, sucedió, se desplomó, ahora tienes ruinas y hay que encontrar la manera de volver a edificar todo.

La desobediencia viene rompiendo la pared de tu vida poco a poco hasta que todo se desploma. CERO CONTAMINACIÓN significa evitar o detener **el proceso** de la caída.

No juguetees con esto, guarda tu integridad sexual, no pongas en riesgo el plan de tu vida. Aléjate de los problemas, no arriesgues, la tentación sexual es zona de peligro, aléjate de allí, no entres al **PROCESO**, y si ya entraste, ahora es el momento de detenerlo y ¡salir!

5. **Consecuencias.**

"¡He pecado contra el Señor!
Reconoció David ante Natán.
El Señor ha perdonado ya tu pecado, y no morirás
contestó Natán.
Sin embargo, ***tu hijo sí morirá****, pues con tus acciones*
has ofendido al Señor".
2 Samuel 12:13-14. (Énfasis del autor).

El anterior es uno de los episodios más tristes de la Biblia, la muerte del hijo de David y Betsabé. El niño fue el fruto del deseo del rey y su estrategia para esconder su pecado. David lloró a ese bebé, pero la sentencia estaba señalada. Es triste, mi corazón se conmueve cada vez que leo la historia, y no esquivo pensar que mis pecados traerán inevitablemente consecuencias, también es triste. Ese momento de placer traerá consecuencias y a veces son precios muy altos:

- Embarazos precoces.
- Vergüenza.
- Culpabilidad.
- Sexo prematrimonial que provoca rompimientos del noviazgo, seguido de vergüenza y frustración.
- Menosprecio por chicas o chicos que han tenido sexo con otro: "Me parece bien tener sexo con la chica con la que tú te casarás, pero no que tú tengas sexo con la chica con la que yo me casaré".
- La premura pasional es un mal pegamento para unir un noviazgo, por eso en el matrimonio fracasan.
- Tener relaciones sexuales prematrimoniales puede llevarte a casarte con la persona que no es adecuada para ti.
- La falta de santidad en tu sexualidad traerá "vergüenza espiritual", una condición muy triste y dolorosa ante Dios y eso te afectará mucho.

Mejor no busques complicaciones, te doy el consejo que mi papá un día me dio: "Carlos aíslate de los problemas, aléjate de ellos". Corre en dirección contraria de los problemas porque tendrás consecuencias qué enfrentar.

El lema de los que quieren vivir sexualmente santos es: **cero contaminación,** y para mantenerte en ese camino recuerda cinco palabras importantes:

Toma el control. Controla tus deseos, impulsos y acciones. En algún lugar leí esto: "Alguien que no controla sus deseos e impulsos, no tiene control sobre sus acciones, vida o su destino". Si no controlas tus impulsos tomarás decisiones erradas constantemente, no sólo en el área sexual sino que perderás el control en la mayor parte de tu vida. Vivir sexualmente santo significa "tomar el control" de tus sensaciones, deseos, decisiones, de tu cuerpo, en fin, de tu vida. No juguetees y tendrás menos que lamentar al final del día. Es mejor no entrar en terreno peligroso.

Considera lo siguiente para ayudarte en tu pureza sexual:

-Decide desde ahora que las relaciones sexuales comienzan tu noche de bodas y no antes.

-Ten claras las razones por las que quieres vivir sexualmente santo, de esa manera estarás persuadido o convencido de por qué lo haces.

-Evita cualquier situación que ponga en riesgo tu santidad sexual.

-No te dejes manipular, no cedas a la tentación, aléjate de cualquier cosa que altere tu capacidad de pensar.

-No te dejes persuadir por palabras "seductoras". Simplemente di **cero contaminación.**

El mundo reduce la sexualidad a un acto de placer egoísta, no motivado por el amor, sino por una experiencia sensual y placentera, el sexo es eso, pero no solo eso. Pensar de esa manera te lleva a utilizar tu sexualidad sin propósito y en peligro.

Tienes mucha presión, el sexo ilícito está por todos lados, no podrás escapar del mensaje de que vivir tu sexualidad como quieras no tiene nada de malo, pero **vivir sexualmente santo es algo que depende de ti**, no de tu novio(a), la tele o tus amigos.

Tú disfrutarás el sexo, debes disfrutar tus relaciones sexuales, en el tiempo correcto con la persona correcta y eso comienza el día que dices "sí acepto" en tu boda. De esa manera, estarás en el marco de una relación exclusiva, comprometida, integral y llena de amor.

Tú decides, no dejes que nadie más decida por ti y te
animo a decidir vivir SEXUALMENTE SANTO,
porque **sí** se puede... recuerda el lema:
CERO CONTAMINACIÓN.

"Entre ustedes ni siquiera debe mencionarse
la inmoralidad sexual, ni ninguna clase de impureza
o de avaricia, porque eso
no es propio del pueblo santo de Dios.
Tampoco debe haber palabras indecentes,
conversaciones necias ni chistes groseros,
todo lo cual está fuera de lugar;
haya más bien acción de gracias.
Porque pueden estar seguros de que nadie que sea
avaro (es decir, idólatra), inmoral o impuro tendrá

herencia en el reino de Cristo y de Dios.
Que nadie los engañe con argumentaciones vanas,
porque por esto viene el castigo de Dios sobre los que
viven en la desobediencia.
Así que no se hagan cómplices de ellos.
Porque ustedes antes eran oscuridad, pero ahora son
luz en el Señor. Vivan como hijos de luz
(el fruto de la luz consiste en toda bondad,
justicia y verdad)
y comprueben lo que agrada al Señor.
No tengan nada que ver con las obras infructuosas
de la oscuridad, sino más bien denúncienlas,
porque da vergüenza aun mencionar
lo que los desobedientes hacen en secreto".
Efesios 5:3-12 (NVI)

CAPÍTULO 11

UN DIOS DE OPORTUNIDADES

Una de las acciones favoritas del maestro
es devolverle propósito a lo que perdió sentido.
Una segunda oportunidad es un regalo.
Dios nos da la fuerza para derrotar
la tentación sexual. Aborrezcamos el pecado, no dejemos
que se acomode en nuestras vidas.
Carlos Navas

¡Prepárate!, llegó tu momento

"Sabe pastor, llevaba 47 días sin masturbarme –me dijo aquel joven– pero volví a caer, me siento tan frustrado, creo que nunca podré vencer esto". Este es uno de muchos, aunque los casos varían la frustración es la misma. El dolor por la caída es igual de contundente, el sentimiento de culpabilidad e incapacidad los aplasta y parece que todo se terminó. Se sienten condenados para siempre al fuego eterno preparado para los lujuriosos, para los que caen en la masturbación o la pornografía, para los que no pueden soportar la tentación sexual y tropiezan. "Debe haber algún lugar especial en el infierno para ellos", piensan, mientras reciben su pasaporte sellado con un *ticket* directo al hades. A su espalda, Satanás tiene la cara de satisfacción y sonrisa más perversa que jamás hayas visto. Una vez más logró algo que le encanta, CULPAR. Le encanta empujarte hasta al fondo de la culpabilidad, de donde no saldrás en muchas lunas. Al menos eso es lo que te dice, pero esa es la gran mentira que jamás debes creer.

No importa lo malo o bueno que seas, nadie merece a Dios. Nadie es tan malo para no merecerlo, ni tan bueno para merecerlo, es un asunto de *GRACIA*, y esa palabra es tu esperanza, tu camino hacia la libertad de la culpa. *GRACIA* es la herramienta que abre el cerrojo de la condenación. Dios te ama, no hay pecado que pueda cambiar eso, así que toma la decisión de volver a comenzar. Olvídate de ese lugar en el infierno, porque tú no llegarás allí si haces las cosas correctamente.

¿Cuántos salieron mal con esas experiencias con el sexo?, gracias por levantar tu mano. Te tengo una noticia, no eres el único, otros están a tu lado con la misma carga, conozco varios, de hecho los conozco a todos; sí, conozco absolutamente a todos los que fallaron con su sexualidad, sé quiénes son porque somos todos. No podemos engañarnos, todos estamos luchando contra este león, y en alguna ocasión fallamos y necesitamos algo llamado: "segunda oportunidad".

Una segunda oportunidad es un regalo. No hay derecho a exigir una segunda oportunidad, es un regalo, es *GRACIA*. En este capítulo estamos hablando de gracia, de segundas oportunidades para los que las necesitan, es decir, TODOS NOSOTROS.

¿En qué fallaste?, ¿masturbación como mi amigo del inicio del capítulo?, ¿te "toquetearon" otra vez?, ¿otros treinta minutos de sexo ilícito con tu novio y te sientes mal?, ¿estás harto(a) de fallar?, necesitas otra oportunidad. ¿Fallaste hace años y ni sabías que era pecado, pero ahora sí lo sabes?, necesitas otra oportunidad. ¿Luchando contra la homosexualidad y nada cambia?, necesitas otra oportunidad. Podría llenar esta hoja con un sin número de etcéteras acerca de nuestros errores con la sexualidad, *vaaaa...*, necesitamos otra oportunidad y Dios está listo para dárnosla. Aunque las consecuencias de algunas cosas podrán ser inevitables, el plan se puede reestructurar y seguir adelante, vamos, sigue avanzando, hay otra oportunidad.

El sexo no es algo que simplemente lo haces y ya, algo que hiciste y listo, no es así. El pecado sexual cava profundo en el alma porque es algo que destruye hacia adentro:

"Huyan de la inmoralidad sexual. Todos los demás pecados que una persona comete quedan fuera de su cuerpo; pero el que comete inmoralidades sexuales peca contra su propio cuerpo".

1 Corintios 6:18

El golpe es contundente y es contra ti, por eso la carga de vergüenza y culpabilidad es tan pesada. La sensación de fracaso es extenuante y desesperanzadora. Por eso no debes olvidar que mantener relaciones ilícitas es muy peligroso, mantener relaciones sexuales con la persona equivocada puede ser una amenaza para la vida misma.

Pero hay buenas noticias, hablar de otra oportunidad tiene sentido si pensamos en la respuesta a esta pregunta: ¿Dios está por nosotros o contra nosotros? Si Dios no está con nosotros estamos fritos, nada más que decir, hagamos maletas y volemos lejos porque será terrible el resto del camino. Pero eso no es verdad. Esa es la verdad que el enemigo quiere que creas para sentirte miserable el resto de tu vida. Cada caída será catastrófica y sin opción, pero no es cierto, no es bíblico, no es la verdad, estamos felices porque tenemos un Dios de oportunidades. Puedes estar tranquilo y seguro de que tendrás perdón, paz, libertad y victoria. No importa qué tan profundo sea tu pozo, el amor de Dios logrará encontrarte, rescatarte y sacarte de ese lugar, hoy mismo Él puede hacerlo, deja la culpabilidad, hay nuevas oportunidades.

Hay personajes bíblicos que cayeron en pecados sexuales y la buena noticia es que encontraron otro chance. Sí, hay varios, más de uno y todos alcanzaron lo que no merecían, perdón, paz y otra oportunidad, ¿por qué tu deberías ser la excepción?, veamos algunos:

¡Al suelo!, vienen las piedras, acusaciones anuladas

Juan 8:1-11, nos presenta un episodio de muerte inminente por causa de un terrible pecado sexual: adulterio.

Nada más que hacer, el manual condenaba a aquella mujer a la muerte por lapidación, o sea, a pedradas. Los mejores "tira piedra" del pueblo estaban en posición de fusilamiento, hasta que Jesús habló. El Maestro los anuló, los congeló, se dieron la vuelta y se largaron, al final de la historia el maestro le dijo: *"...Tampoco yo te condeno..."*. ¿Cómo suenan esas palabras en el oído del condenado a muerte?, cómo se siente el corazón del que no tiene nada que exigir al oír: *"te perdono, no debes nada, puedes continuar"*. Una mujer condenada por el pecado sexual, con sus acusadores en primera fila listos para la ejecución oyó esas palabras y volvió a respirar, y sobre todo, tuvo otra oportunidad para vivir. ¿Te cuento algo?, esta mujer era culpable, indudablemente culpable, contundentemente culpable, no había duda de eso, no había manera de eludirlo, era culpable, merecía la muerte, pero salió libre, tuvo otra oportunidad.

Primero. Quedó libre porque ella no era la única culpable de la historia, todos eran culpables. Nadie puede tirar la pedrada, nadie te puede aplastar a golpes con señalamientos y humillaciones, todos debemos soltar la piedra y darnos la vuelta para ir a buscar otra oportunidad, la acusación es una de las grandes armas para anularte y aniquilarte. **Segundo**, salió libre por su arrepentimiento. ¿Cuál arrepentimiento?, mírala, ella sigue allí, sus acusadores se fueron pero ella seguía allí, no había razón para estar en ese lugar un segundo más. Ella no fue, la llevaron, y los que la llevaron querían matarla y no hay uno más de ellos, solo hay una razón por la que sigue allí y esa razón tiene nombre: Jesús.

Seguía allí porque Jesús la había cautivado y no quiere perder la cita más importante de ese día. No te equivoques, no era el perdón lo más importante, lo más importante era Jesús, quería quedarse con Jesús, nada mal para una mujer condenada a muerte por su pecado sexual.

¿Qué es arrepentimiento?, el erudito responderá que significa cambio de dirección, esa es la traducción literal del término griego: "metanoia", y tiene razón. Pero creo que el arrepentimiento tiene algo más, algo práctico, arrepentimiento es entrar en razón, es entender lo que está pasando y lo que estás haciendo y a partir de allí, tomar una decisión por un camino diferente y mejor. ¿No fue eso lo que pasó con el hijo pródigo? Entró en razón y tomó el camino a casa. Vamos amigo, la homosexualidad no es la ruta correcta, la pornografía tampoco, la masturbación te sumerge en una pérdida completa del control de tu mente, entra en razón, cambia de ruta, vuelve a casa.

Es fácil tomar la actitud de la multitud, la del pelotón de fusilamiento. Allí están en la escuela, el trabajo, en la calle, los encuentras en la familia y en la iglesia. Qué fácil es señalar el error de alguien, qué fácil es quejarse del pecado ajeno, qué fácil mostrarle al juez la falta de otro, no dejes que esas acusaciones bloqueen tu camino a los brazos del Maestro. Jesús tiene una segunda oportunidad para los quebrantados de corazón. En muchísimas ocasiones he notado que los que toman su nueva oportunidad, por lo general se convierten en mejores personas, al final vale la pena intentarlo otra vez.

No te desanimes ni dejes que los acusadores te aplasten. Si tienes temor que nadie se interese en ti porque ya entregaste todo a alguien en el pasado, no te atormentes con eso, Dios te perdona y Él sabrá guiarte hacia alguien que te acepte y admire, para esa persona serás ideal. Nadie tiene derecho a señalar lo que Dios ya perdonó, nadie tiene derecho a lanzar la piedra, todos tenemos un pasado del que no nos sentimos orgullosos.

¿Te resulta complicado creer que Dios te da una nueva oportunidad? Recíbela y sigue caminando tomado de la mano de tu Señor. Aborrece el pecado sexual, esfuérzate en los cambios y con esa determinación sigue caminando.

Hora de levantarse - restauración

El clamor del rey se escuchaba en cada rincón del palacio, encerrado en su culpa y horrorizado por las consecuencias de una miradita desde la terraza de su alcoba, esperaba el cumplimiento de la implacable sentencia, el niño morirá. Ayunó y oró, tal vez como pocas veces lo había hecho, ni siquiera cuando estuvo frente a aquel gigante había temblado tanto como lo hacía aquella mañana. El niño moriría, él esperaba que no, pero murió, no había vuelta atrás.

A ese punto, se preguntó si había valido la pena la noche de placer con Betsabé, hermosa como pocas, pero prohibida. No tenía derecho a tocarla, era la mujer de un fiel soldado de la nación que estaba en el cumplimiento del deber. La vio y la codició, la tuvo, pero ahora las consecuencias lo estaban destruyendo. David la tomó y quedó embarazada, asesinó a su esposo y ahora también moría el fruto del pecado, David gemía en su alcoba y su clamor se paseaba por los pasillos del palacio, tratando de encontrar la ruta para producir un milagro, el rey estaba en el suelo literalmente.

¿Te has sentido destrozado por el pecado sexual? David sabe de eso, él te comprende, varios te endentemos, el pecado hace eso, te destroza, te tumba y no tiene misericordia; una sensación de abandono, parece que Dios partió y la culpa tomó su lugar.

¿Cómo se sentía David? Hagamos una lista de las posibilidades: remordimiento, frustración, pena, engaño, estupidez, culpa, insensatez, dolor, incapacidad, soledad, amargura, vergüenza, incertidumbre, desesperanza, desesperación. ¿Qué más le agregarías a esa lista?, ¿cuántas palabras de la lista podrías subrayar?, yo casi todas... ehhh... en realidad todas. El pecado es así, te hace sentir miserable, te arrastra y te lanza al piso y todo parece que es el último *round*.

El momento trágico llegó y el niño dio el último suspiro. Entonces el rey se levantó, el niño murió, pero David debía continuar. Uno de sus Salmos dice esto:

"Dichoso aquel a quien se ***le perdonan sus transgresiones****, a quien se le borran sus pecados.*
Dichoso aquel a quien el SEÑOR no toma en cuenta su maldad y en cuyo espíritu no hay engaño.
Mientras ***guardé silencio****, mis huesos se fueron consumiendo por mi gemir de todo el día.*
Mi fuerza se fue debilitando como al calor del verano, porque día y noche tu mano pesaba sobre mí.
Pero te ***confesé mi pecado****, y no te oculté mi maldad.*
Me dije: «Voy a confesar mis transgresiones al SEÑOR», y tú perdonaste mi maldad y mi pecado".
Salmo 32:1-5. (Énfasis del autor).

Si alguien conocía el corazón de Dios era David. Él sabía que había perdón y lo buscó, sabía que había otra oportunidad y la encontró. Su pecado sexual, su lujuria, su deseo insaciable, su codicia, jamás serían más grandes que el amor y la gracia.

El silencio, el engaño, la oscuridad del pecado sexual, no trajeron más que sequedad y debilidad. Tu silencio te mata, ocultas algo que te está aniquilando, adulterio tras las cortinas, vives en la cárcel del silencio por tu homosexualidad, en lo oculto consumes pornografía, mientras nadie mira en la intimidad de tu habitación pasan cosas que te están matando. El silencio te debilita y te aniquilará.

No sigas más, tú puedes salir como salió David. En el Salmo 51 el salmista nos comparte la confesión que lo sacó de su culpabilidad, nos muestra el camino de los que buscan otra oportunidad, la salida de uno que cayó en el pecado sexual:

"Ten compasión de mí, oh Dios, conforme a tu gran amor; conforme a tu inmensa bondad, borra mis transgresiones.
Lávame de toda mi maldad y límpiame de mi pecado.
Yo reconozco mis transgresiones; siempre tengo presente mi pecado.
Contra ti he pecado, sólo contra ti, y he hecho lo que es malo ante tus ojos; por eso, tu sentencia es justa, y tu juicio, irreprochable.
Yo sé que soy malo de nacimiento; pecador me concibió mi madre.
Yo sé que tú amas la verdad en lo íntimo; en lo secreto me has enseñado sabiduría.
Purifícame con hisopo, y quedaré limpio; lávame, y quedaré más blanco que la nieve.
Anúnciame gozo y alegría; infunde gozo en estos huesos que has quebrantado.

Aparta tu rostro de mis pecados
y borra toda mi maldad.
Crea en mí, oh Dios, un corazón limpio,
y renueva la firmeza de mi espíritu.
No me alejes de tu presencia
ni me quites tu santo Espíritu.
Devuélveme la alegría de tu salvación;
que un espíritu obediente me sostenga".
Salmo 51:1-12

Arrepentimiento, confesión, humildad, clamor, responsabilidad, el camino está trazado, recórrelo. Allí estaba David comenzando una vez más. Volvió a empezar, encontró otra oportunidad. Allí está tu camino, ve y recibe otra oportunidad.

La mujer de todos - transformación

El día era caluroso, justo al mediodía y después de una larga caminata, finalmente estaban cerca de un pozo, agua a la vista. La región era de mala reputación, Samaria, pero el hambre y la sed demandaban atención inmediata. Los discípulos fueron por alimento, Jesús se sentó al lado del pozo, sospecho que sabía lo que estaba a punto de suceder. Una de las acciones favoritas del maestro, devolverle propósito a lo que perdió sentido, mi episodio favorito del ministerio de Jesús en la tierra: el diálogo de Jesús y la mujer samaritana (Juan 4:1-42).

Promiscua es una buena manera de describirla. No conocemos su nombre, no sabemos por qué estaba sacando agua del pozo al medio día, las mujeres recogían el agua temprano en la mañana, tal vez estaba evitando encontrarse con "ellas", solo quería un poco de paz y evitar miradas, murmuraciones, cuchicheos molestos e incómodos. Ella llegó y vio a alguien sentado al lado del pozo. Frunció el ceño, no lo esperaba, pensó que estaría sola como siempre, pero ahora había alguien: *"Qué importa, es un judío, y los judíos no hablan con las samaritanas"*, y menos con una que ha tenido cinco maridos y ahora tiene uno nuevo. Pero no fue así, este judío llamado Jesús está listo para hablar con todo el mundo, incluyendo una menospreciada Samaritana de mala reputación, y en conflicto con su sexualidad.

El diálogo lo inició Jesús:

"Allí estaba el pozo de Jacob. Jesús, fatigado del camino, se sentó junto al pozo. Era cerca del mediodía. Sus discípulos habían ido al pueblo a comprar comida. En eso llegó a sacar agua una mujer de Samaria, y Jesús le dijo: —Dame un poco de agua".

Juan 4:6-8

¿Por qué Jesús inició el diálogo?, creo que la vergüenza bloquea el camino para hablar con Jesús. ¿Te ha pasado verdad? No te atreves a hablar porque estás avergonzado, le fallaste y no te sientes bien con Él. Te tengo una gran noticia, mientras tú caminas buscando agua para refrescar tu vida en medio del árido desierto del pecado sexual, Él ya te está esperando con agua fresca de perdón y amor para que no vuelvas a los pozos que no sacian tu alma, Él es el agua viva que calmará tu sed, te espera y todo será transformado.

Sigue caminando al pozo, esa ruta puede que te avergüence un poco, pero encontrarás la respuesta. C.S. Lewis[2] dijo: *"Dios utiliza los caminos incorrectos para llevarnos a todos los lugares correctos"*. Nuestros errores, las personas tóxicas, las relaciones tóxicas, etc., no son obstáculos para Dios, Él siempre encuentra la manera de convertir todo eso en grandes victorias que lo honran a Él y nos salva a nosotros:

"Es verdad que ustedes pensaron hacerme mal,
pero ***Dios transformó*** *ese mal en bien para lograr lo*
que hoy estamos viendo: salvar la vida
de mucha gente".
Génesis 50:20. (Énfasis del autor).

"Y sabemos que a los que aman a Dios,
todas las cosas les ayudan a bien*, esto es,*
a los que conforme a su propósito son llamados".
Romanos 8:28 (RVR 1960). (Énfasis del autor).

El diálogo fue espectacular y todo cambió. Nunca vuelves a ser el mismo después de dialogar con Jesús. No importa cuán grande sea tu pecado sexual, un pequeño diálogo con el maestro y tu vergüenza se TRANSFORMA en herramienta, en un instrumento útil para sus propósitos. El viejo cántaro cayó al lado del pozo como testimonio evidente de que todo había cambiado. Ella corrió hacia la ciudad para contarles todo lo que había sucedido. Y no solo eso, invitó a los samaritanos para ir a buscar al hombre

2 Apologista cristiano, medievalista y escritor británico.

que le había descubierto la verdad de sus cinco maridos. El pecado y la vergüenza trasformados en testimonio para llevar a otros a Jesús. ¿De qué te angustias?, hay otra oportunidad para cambiar la vergüenza de tu pecado sexual en instrumento para glorificar a Dios, siempre hay otra oportunidad.

Eso que te avergüenza ahora, será transformado en una herramienta para guiar a otros a la salvación del pecado sexual, ¿te imaginas tu historia de derrotas en tu sexualidad, convertida en una herramienta para enviar a otros con Jesús? Corre al pozo y vuelve a empezar, hay otra oportunidad.

Finalmente llegó tu momento - hora del perdón

"Pastor me siento muy mal, hay tantas cosas mal en mi vida, esta noche es muy oscura y perturbadora, soy gay tengo 19 años y mi vida está tirada a la basura. Dios ya no cree en mí y no sé qué más hacer, ya nada tiene sentido".

Eran las cuatro de la mañana y estaba escribiendo esta parte final del capítulo. Entonces, recibí la notificación de un mensaje nuevo, un joven de 19 años al borde de la nada. Una vez más el enemigo haciendo de las suyas, otra historia de desesperación, una cárcel más que encierra los sueños y la vitalidad de un joven apenas en la segunda década de su vida. Quiero que tengas algo muy claro, muy claro: Dios cree en ti y sigue teniendo un plan para tu vida, ¿por qué vivir en el dolor y la oscuridad?, acércate a Dios, llegó la hora de la libertad, llegó la hora de romper las cadenas, llegó la hora de vivir y disfrutar la única vida que tendremos sobre esta tierra. Llegó tu momento, es la hora del perdón, hay otra oportunidad.

Déjame contarte algunas cosas importantes relacionadas con el perdón de Dios:

Acéptalo, no trates de entenderlo. Un día mientras conducía iba dialogando con Dios acerca de temas como fallarle, pecado, arrepentimiento y perdón. Me parecía difícil pensar que podemos fallarle y simplemente llegar con Él y decir *"perdón"*. Bueno, es obvio que se necesita la respectiva cuota de arrepentimiento, pero el tema es llegar y decir *"perdón"* y todo está arreglado. Los versículos comenzaron a saltar y la conversación con Dios se ponía mejor:

*"**Si confesamos nuestros pecados**,*
él es fiel y justo para perdonar nuestros pecados,
*y **limpiarnos** de toda maldad".*
1 Juan 1:9. (Énfasis del autor).

Entonces, venimos arrepentidos y le confesamos nuestra falta, ¿eso es todo?, ¿con eso basta para perdonar la deuda?, ¿una factura pendiente de pago que simplemente se rompe con decir perdóname? Yo pensaba, si alguien me falla y luego viene a simplemente decirme: "Carlos perdóname"... mmmm... no sería tan simple. Tendría que evaluar sus motivaciones y la dimensión de la falta, evaluar sus compromisos, y quizá lo perdonaría después de pensar bien las cosas, y asegurarme de que esté consciente del daño que causó, y se sientan mal por eso. Y bueno, eso tampoco garantizaría que pudiéramos ser amigos o tener algún tipo de relación. Mi mente se perdía en el horizonte considerando todos los requisitos para otorgar mi perdón... ja, ja, ja,... que absurda actitud la mía. El Señor me dijo: "¿puedo interrumpirte, me dejas decir algo?", "ehhh, por supuesto, tú eres Dios y yo Carlos, así que no hay problema, adelante Padre":

"Buscad a Jehová mientras puede ser hallado,
llamadle en tanto que está cercano.
***Deje el impío su camino**, y el hombre inicuo*
*sus pensamientos, **y vuélvase** a Jehová, el cual*
***tendrá de él misericordia**, y al Dios nuestro,*
*el cual será **amplio en perdonar**.*
Porque mis pensamientos no son vuestros
***pensamientos**, ni vuestros caminos mis caminos,*
dijo Jehová.
***Como son más altos** los cielos que la tierra,*
*así **son mis caminos más altos** que vuestros*
*caminos, **y mis pensamientos más que vuestros***
pensamientos.

Isaías 55:6-9 Versión (RVR 1960). (Énfasis del autor).

¿Sabes cuál es el problema?, la naturaleza humana no es perdonadora, no somos perdonadores por naturaleza, por eso nos cuesta entender el perdón de Dios, pero los pensamientos y caminos de Dios son superiores a los nuestros, Él no es como nosotros. Entendí el asunto, fue como si Dios me dijera: *"Carlos, tu problema hijo es que quieres entender mi perdón y eso jamás lo entenderás porque el hombre no es perdonador, pero mi manera de pensar es mucho más grande que la tuya, solo recibe mi perdón, no trates de entenderlo"*. No tienes idea de cómo eso ha traído paz a mi vida. No trates de entender el perdón de Dios, no trates de entender cómo es posible que Dios te vaya a perdonar, jamás entenderás eso, el perdón de Dios simplemente tómalo y disfrútalo, simplemente acércate a Él arrepentido y dile: *"Padre, perdóname"*, de allí en adelante deja que su paz te abrace.

Llegó tu momento, una nueva oportunidad. Llegó tu hora de recibir el perdón, no trates de entenderlo solo recíbelo y disfrútalo.

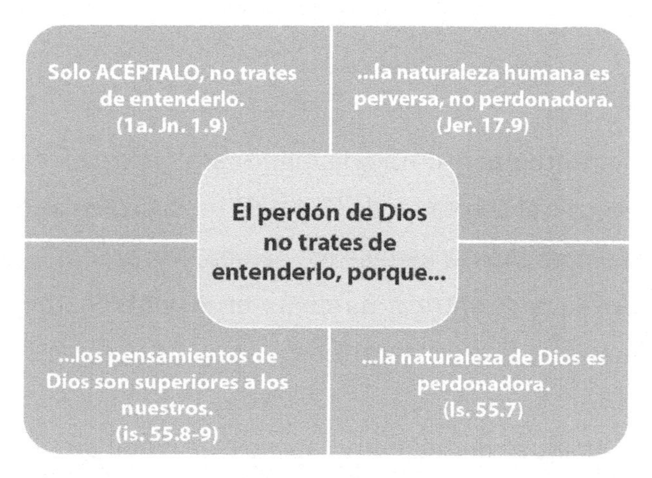

Aléjate del león muerto. En el libro de jueces encontramos una historia interesante acerca de Sansón:

"Así que Sansón descendió a Timnat junto con sus padres. De repente, al llegar a los viñedos de Timnat, un rugiente cachorro de león le salió al encuentro. Pero el Espíritu del SEÑOR vino con poder sobre Sansón, quien a mano limpia despedazó al león como quien despedaza a un cabrito. Pero no les contó a sus padres lo que había hecho.

Luego fue y habló con la mujer que le gustaba. Pasado algún tiempo, cuando regresó para casarse con ella, se apartó del camino para mirar el león muerto, y vio que había en su cadáver un enjambre de

abejas y un panal de miel.
Tomó con las manos un poco de miel y comió,
mientras proseguía su camino. Cuando se reunió
con sus padres, les ofreció miel, y también ellos
comieron, pero no les dijo que la había sacado del
cadáver del león".
Jueces 14:5-9

Sansón era el hombre de Dios llamado para ser la peor pesadilla de los filisteos y el libertador de Israel. Él tenía un llamado a vivir consagrado para Dios (a esto se le llamaba *"Nazareato"*), y como parte de ese llamado entre otras cosas, él no podía contaminarse acercándose a un cuerpo muerto:

"Mientras dure el tiempo de su consagración
al SEÑOR, no podrá acercarse a ningún cadáver,
ni siquiera en caso de que muera su padre, su madre,
su hermano o su hermana. No deberá hacerse
ritualmente impuro a causa de ellos,
porque lleva sobre la cabeza el símbolo
de su consagración al SEÑOR".
Números 6:6-7

Un día, Sansón salió camino a tierra filistea para tomar en compromiso a una mujer que no le era lícito tomar. En el camino le salió un rugiente cachorro de león y el Espíritu Santo le dio la fuerza para derrotarlo. Pasados unos días, Sansón fue de nuevo hacia Timnat y se salió del camino para ver el cuerpo muerto del león, ¿y adivina lo que encontró?.... un poco de miel en el cadáver del león. Me pregunto, ¿cómo a las abejas se les ocurrió construir un panal en ese lugar? En fin, Sansón tomó la miel y se fue en el camino disfrutando su dulce contaminación con un cuerpo muerto. Mira esto: el Espíritu Santo le dio la fuerza para matar a un león vivo, pero Sansón no tuvo el carácter para vencer a un león muerto.

Dios te libera de las cadenas de una sexualidad ilícita, rompe los hábitos de la masturbación compulsiva, el impulso de ver pornografía, la fuerza para soportar la tentación de tener relaciones con tu novio, es más, te quita a tu novio de encima (literalmente), y tú luego lo que haces es correr a tu teléfono para volver a llamarlo y reunirte con él. Lo encuentras dulce como nunca, pura miel, ¡qué dulce tentación! Ella te busca y tú corres para tener sexo otra vez. Era el momento para sacar el televisor de tu cuarto o limitar el acceso a los dispositivos con los que puedes caer en la pornografía, pero lo que hiciste fue comprar uno más grande. Dios te da la fuerza para derrotar tu tentación sexual y tú no tienes el carácter para mantenerte en la victoria.

Estoy convencido de que hay cosas en las que no intervienen ni Dios ni el diablo, eres tú, es tu responsabilidad. Un joven me dijo: "Es que no sé cómo terminé viendo esa pornografía sucia del diablo, fue el enemigo el que me engañó". Si claro el diablo, mi respuesta fue: "Déjame explicarte como fue eso, te sentaste frente al televisor, tomaste el control remoto y comenzaste a pasar los canales hasta llegar al canal que tú sabes que tiene pornografía, así de fácil fue eso. No fue el diablo, fuiste tú". Una pareja de jóvenes me dijo: "Pastor mi novia y yo estamos teniendo relaciones sexuales y ya oramos y ayunamos y aun así no podemos detenernos". Si claro, aquí vamos otra vez: "A ver, pensemos en esto. Lo que ustedes me están diciendo, es que Dios es el culpable de que estén teniendo relaciones sexuales, porque ustedes ayunan y oran pero siguen haciéndolo". Nada que ver, dejen de orar y ayunar, mejor ya no se vean a solas, no salgan juntos a lugares apartados y consideren seriamente si es momento para seguir con esta relación porque es obvio que no pueden estar juntos sin que sus manos se calienten y luego el resto del cuerpo.

¿Entiendes el asunto? Aléjate del león muerto, ya no vuelvas a esos lugares, a esas personas que te provocan al pecado sexual, a esos programas de televisión o sitios en tu compu, ya no le escribas a ese tipo, borra el número de esa chica que te está presionando. ¿Entiendes cuál es el punto?, si te acercas a todo esto que Dios ya derrotó por ti, es muy probable que encuentres un poco de miel seduciéndote, dulce tentación esperándote para hacerte caer otra vez, aléjate del león muerto.

El pecado se aborrece

*"**No reine**, pues, el pecado en vuestro cuerpo mortal,*
de modo que lo obedezcáis en sus concupiscencias;
***ni tampoco presentéis** vuestros miembros*
al pecado como instrumentos de iniquidad,
sino presentaos vosotros mismos a Dios como vivos
de entre los muertos, y vuestros miembros
a Dios como instrumentos de justicia.
*Porque **el pecado no se enseñoreará** de vosotros;*
pues no estáis bajo la ley, sino bajo la gracia".
Romanos 6:12-14 (RVR 1960). (Énfasis del autor).

La actitud que debemos tener hacia el pecado es rechazo, aborrecimiento, repugnancia y cosas como esas. El apóstol dice: *"No reine el pecado en vuestro cuerpo mortal"*, ¿sabes qué significa eso?, que aborrezcamos el pecado, que no lo dejemos que se acomode en nuestra vida. ¿Sabes por qué es tan fácil para tu amiga tener relaciones sexuales con su novio o con sus novios?, porque ella ha abrazado el pecado sin ningún problema, es su estilo de vida, el pecado tiene un trono en su corazón y ella vive para servirle, le da rienda suelta.

Por eso miras a ese chico gay con tanta libertad haciendo lo que más disfruta, vivir su vida homosexual, tú te debates y te sientes pésimo porque te sientes atraído a la gente de tu mismo sexo y sabes que no está correcto, no está alineado al diseño de Dios.

Tus compañeros de clase miran pornografía y con orgullo hablan acerca de lo que están viendo y compartiendo en sus redes sociales y celulares, mientras tú te sientes incómodo por una escena de sexo explícito que salió en la película que viste en el cine.

Tus amigos en el trabajo se devoran el cuerpo de la recepcionista con sus ojos analizándola de pies a cabeza, por el frente y la retaguardia, y tú te sientes mal porque estás irrespetando a Dios y a tu esposa al codiciar a esa mujer. Tus amigas se la pasan hablando con entusiasmo de la aventura del fin de semana con su novio o sus amigos en la playa, donde al calor de algunas cervezas el ambiente se puso intenso con el sexo, y tú no sabes cómo manejar las sensaciones que estás teniendo por los besos pasados de tono que estás experimentando con tu novio. Para ellos es fácil porque el pecado reina en sus corazones, para ti es complicado porque has decidido vivir *sexualmente santo.*

En un hijo de Dios la lucha contra el pecado está en esa batalla por no fallarle. Sabes que no es correcto hacer algunas cosas y te sientes mal con eso porque el pecado no reina en tu corazón. Tu actitud ante el pecado es rechazo, lo aborreces y cuando caes en alguna de las trampas del pecado sexual te sientes mal. Sin embargo, esa perturbación es buena señal, ese dolor por el pecado significa que aún estás vivo espiritualmente, no eres indiferente, quieres vivir sexualmente santo.

Mira lo que Pablo le escribe a los Corintios:

"Si bien ***los entristecí*** *con mi carta, no me pesa. Es verdad que antes me pesó, porque me di cuenta de que por un tiempo mi carta los había entristecido. Sin embargo, ahora me alegro, no porque se hayan entristecido sino porque* ***su tristeza los llevó al arrepentimiento.*** *Ustedes se entristecieron tal como Dios lo quiere, de modo que nosotros de ninguna manera los hemos perjudicado.* ***La tristeza que proviene de Dios produce el arrepentimiento*** *que lleva a la salvación, de la cual no hay que arrepentirse, mientras que la tristeza del mundo produce la muerte".*

2 Corintios 7:8-10. (Énfasis del autor).

El apóstol escribió una carta a los Corintios en la cual los reprendió, y eso les causó tristeza, es decir, los Corintios se sintieron mal por lo que Pablo les escribió. Pablo mismo se sintió mal por haber causado esa tristeza en el corazón de sus hermanos, sin embargo, luego él escribe que se alegró de haber causado esa tristeza, porque eso los llevó al arrepentimiento y a los cambios.

Cuando estás en batalla por la santidad sexual entras en esos conflictos, si fallas sientes ese dolor en el alma precisamente porque aborreces el pecado, odias la perversión sexual. Quizá en tu debilidad caíste, pero no amas el pecado, no lo abrazas, lo aborreces y te sientes mal, te sientes triste, todos los demás no sienten absolutamente nada cuando cometen esos pecados pero tú sientes esa tristeza, y como dice Pablo: "*La tristeza que proviene de Dios produce el arrepentimiento que lleva a la salvación*". Ese dolor, ese "sentirte mal", esa tristeza te guía al arrepentimiento. El pecado no es parte de tu vida, todo lo contrario, tu luchas contra él, lo aborreces, no reina en tu corazón, por eso corres al arrepentimiento y al perdón.

Fallaste por descuido y no te fijaste, porque le diste rienda suelta a tus pensamientos, pero luego viene el arrepentimiento, el dolor de haber fallado y le dices a Dios: "Perdóname una vez más". La razón es porque el pecado no reina en tu corazón, lo aborreces, lo odias porque te roba tu paz y tu abrazo con tu padre celestial. La actitud hacia el pecado sexual es: ABORRECERLO.

"Volví a caer". Pensé que solo a mí me pasaba, ¿de qué estoy hablando? de volver a caer. Qué bueno saber que te pasa a ti, y a ti, y a ti, y a ti, y a ti... Cuánta frustración puedo encontrar en el corazón de aquellos que están intentando e intentando. Avanzan un par de metros y tropiezan, luego vuelven a intentar, avanzan tres pasos y retroceden dos, un par de kilómetros y otro tropezón, se cansan, se frustran y llegan a esta conclusión: "No puedo, es por demás, no hay nada más que hacer, estoy frito, jamás saldré de esto, no puedo, Dios me odiará el resto de mi vida y terminaré podrido en el infierno". Esos pensamientos son extremos y exagerados, pero algunos los tienen. Otros piensan que en algún momento de la vida algo sucederá y ya no habrá más pecado, desaparecerá, tal vez cuando sean adultos o se casen, cuando sean ancianos que no tengan nada que ofrecer en cuanto a sexualidad. ¡Detengámonos ya, no es así el asunto!, no funciona de esa manera.

La Biblia dice:

"Porque siete veces cae el justo,
y ***vuelve a levantarse****;*
Más los impíos caerán en el mal".
Proverbios 24:16 (RVR 1960)

Pensemos ¿qué es peor?, ¿que caigas y asumas una actitud de aniquilación, de que todo está perdido y que estás listo para irte al infierno?, o, ¿buscar el perdón y la restauración de Dios? Vamos, levántate y cambia tu actitud. No eres el primero que volvió a caer, si caíste, puedes pedir perdón, recibirlo y seguir adelante con una actitud de victoria y esperanza. "¿Cuántas veces me podría perdonar Dios?", bueno, alguien le hizo una pregunta más o menos así a Jesús:

"Entonces se le acercó Pedro y le dijo:
Señor, ¿cuántas veces perdonaré a mi hermano
que peque contra mí? ¿Hasta siete?
Jesús le dijo: No te digo hasta siete,
sino aun hasta setenta veces siete"*.*
Mateo 18:21-22. (RVR 1960). (Énfasis del autor).

¿Sabes cómo se llama eso?... **PERDÓN ILIMITADO**... Lo que Jesús estaba diciendo, era que perdonemos SIEMPRE, a los que pecan contra nosotros. Si Él nos enseñó a perdonar de esa manera, ¿cómo Él no lo cumplirá con nosotros? Hay perdón ilimitado, busca a Dios y te perdonará, y si caes otra vez: busca a Jesús y pídele perdón, Él te perdonará: "...***hasta setenta veces siete"***.

Obviamente esto no es licencia para pecar. Tú eres responsable de tu vida espiritual, tu actitud hacia el pecado es aborrecerlo no abrazarlo, pero en el camino hay tropiezos y entonces pides perdón y te levantas. No es que seas un niño "berrinchudo", que se sale con la suya y papá tiene que comprender. Nada que ver, recuerda: *"No reine, pues, el pecado en vuestro cuerpo mortal, de modo que lo obedezcáis en sus concupiscencias"*. Romanos 6:12. Si tu actitud es batallar contra el pecado sexual, si estás luchando contra ese hábito desgraciado que te tiene harto, entonces acércate a Jesús a pedir fuerzas para vencer, acércate a Jesús para pedir perdón y lo recibirás.

A Él le interesa estar bien contigo

"Venid luego, dice Jehová, y ***estemos a cuenta****:*
si vuestros pecados fueren como la grana,
como la nieve serán emblanquecidos; si fueren rojos
como el carmesí, vendrán a ser como blanca lana.
Si quisiereis y oyereis, comeréis el bien de la tierra".
Isaías 1:18-19 (RVR 1960). (Énfasis del autor).

Piensa en esto por favor, si nosotros queremos arreglar las cosas, si nosotros estamos desesperados por reencontrarnos con Él, si nosotros estamos interesados desesperadamente por abrazarlo, cuánto más Dios no lo querrá hacer, cuánto más Dios tendrá el deseo de tenernos cerca. Si nosotros siendo tan malos tenemos esa necesidad de arreglar nuestra vida con Dios, cuánto más el Señor que es bueno, fiel, bondadoso y misericordioso, no querrá tenernos cerca y abrazarnos una vez más.

Tengo una gran noticia para ti: tu Padre te está esperando. Quita la idea de que Dios es un anciano con barba larga con un rayo en su mano, listo para descargarlo sobre tu cabeza. Él te ama, Dios te ama, y te ama así como eres, y está listo para cambiar esas áreas de tu vida que necesitan ser ajustadas.

"Así que emprendió el viaje y se fue a su padre.
Todavía estaba lejos cuando su padre lo vio
y se compadeció de él; salió corriendo
a su encuentro, lo abrazó y lo besó".
Lucas 15:20

Nunca deja de impactarme esa escena. Un padre que mira a su hijo que vuelve después de haberlo perdido todo. Este hijo que con arrogancia había dejado la casa, causando tanto dolor al corazón de su padre, ahora regresa y espera que en el mejor de los casos lo reciban como un sirviente. Pero este padre lo ve de lejos, corre, su corazón está lleno de misericordia, alegría, perdón, amor y se lanza sobre él para darle un beso que ha soñado tantas veces. El hijo ni siquiera ha dicho una palabra, no ha pedido perdón aún, ni siquiera ha dado explicaciones y ya tiene el primer beso y abrazo de su padre, cómo me impacta esta escena. Amigo, ni lo dudes más, corre y prepárate para sentirte amado por Dios. Querida amiga, no te frustres, mejor lánzate a los brazos de tu amado Jesús porque Él te está esperando y tiene otra oportunidad para ti.

"Mi Dios es muy tierno y bondadoso; no se enoja
fácilmente, y es muy grande su amor.
No nos reprende todo el tiempo
ni nos guarda rencor para siempre.
No nos castigó como merecían
nuestros pecados y maldades.
Su amor por quienes lo honran es tan grande
e inmenso como grande es el universo".
Salmo 103:8[3]

El estado preferido de Dios no es la ira, *"no se enoja fácilmente"*. El estado preferido de Dios es misericordia, es perdón, si lo buscas lo encontrarás y Él está dispuesto a perdonar. Él tiene otra oportunidad, Él es un Dios de oportunidades: *"Mi Dios es muy tierno y bondadoso; no se enoja fácilmente, y es muy grande su amor"*. No nos dio lo que merecíamos, nos dio su amor, comprensión y paz: *"No nos castigó como merecían nuestros pecados y maldades"*. No te dejes amedrentar por los temores o la culpabilidad, Dios es lento para la ira, no le encanta estar enojado contigo, Él es todo amor, no es rencoroso como nosotros, Él odia estar lejos de ti por eso te perdona y te da fuerza para vencer: *"No nos reprende todo el tiempo ni nos guarda rencor para siempre"*.

---

3 Traducción en Lenguaje Actual.

¿Qué tan grande es el universo?, tienes razón, hasta donde sabemos el universo es infinito, te tengo una gran noticia:

"Su amor por quienes lo honran es tan grande e inmenso como grande es el universo".

Su amor por ti es infinito. Qué te parece si en lugar de seguir lejos de él, si en lugar de que el pecado te separe, si en lugar de que la culpabilidad y la suciedad traigan vergüenza a tu vida, si en lugar de permanecer a millones de años luz de distancia, hoy te pones de rodillas allí donde estás, tal vez en ese dormitorio que ha servido al pecado sexual, te pones de rodillas y le dices simplemente "perdóname"..., el resto quedará en las manos del Espíritu Santo.

¡Prepárate, llegó tu momento!, serás perdonado y sentirás una vez más el abrazo de tu padre, su beso tierno, fruto de un amor infinito como el universo, amor sin límites, perdón sin límites. Te dejo, porque tienes cosas importantes que hablar con tu Dios. Te dejo porque veo a tu Padre Celestial, se está acercando y sus brazos están abiertos, creo que te abrazará y un beso tierno y dulce acariciará tu alma... disfrútalo.

CAPÍTULO 12

LOS PADRES ORIENTAMOS LA SEXUALIDAD DE NUESTROS HIJOS

Aun en medio de un ambiente contaminado,
haz tu parte para bloquear las conductas incorrectas
de tus hijos vístelos de santidad.
¿Qué y quiénes te enseñaron a ti acerca del sexo?
Tus hijos están expuestos y en peligro.
Padres, todo empieza con nosotros.
Carlos Navas

¡Urgente!

El nombre de este capítulo es totalmente intencional. Somos los padres los que orientamos a nuestros hijos en su sexualidad. Tenemos la orden de parte de Dios de guiarlos e instruirlos para la vida y eso incluye su sexualidad.

En este tiempo, una idea como esta suena autoritaria, intolerante, fuera de lugar, fuera de tiempo y un millón de cosas más que vienen de parte de movimientos, grupos y sectores que no toleran la idea de una sexualidad bíblica. LO SIENTO por ellos, pero la verdad es que la Biblia nos orienta a los padres a guiar e instruir la vida de nuestros hijos, es nuestra responsabilidad, y no solo se trata de orientar, sino de hacerlo conforme a los principios de la Palabra de Dios y así es como debe ser.

Es interesante que el mundo y sus sistemas te presionarán a que cumplas con tus obligaciones como padre, y hasta que orientes y aconsejes a tus hijos, pero cuando entramos al campo de la sexualidad se alteran y dicen: "Déjalo a él que decida, deja que ella busque sus opciones". No lo permitas, es una trampa, porque al final será doloroso para ti y para tu precioso hijo y tu bella hija, no para esos grupos, ellos no llorarán a tu lado. Vamos a ORIENTAR y lo haremos con responsabilidad y diligencia, vamos a hacer todo lo que esté de nuestra parte para orientar a nuestros hijos en una sexualidad a la luz de la Palabra de Dios.

Somos nosotros los padres de nuestros tres preciosos hijos (Carlos, Marian, y Daniela), los que sabemos lo que conviene para ellos. No sé si a ellos les va a gustar, pero por ahora yo sé lo que es y no es bueno para ellos. Esto no se desarrolla en un sistema autoritario y déspota ni a través de abusos y condiciones tóxicas, sino en un ambiente lleno de amor, comunicación, paciencia, oración e instrucción.

Las trampas del camino las conozco mejor que ellos, y por amor los tomaré de la mano para llevarlos por esas rutas difíciles que aún ellos no están entrenados para andar. ¿Cómo saber cuándo estarán listos?, honestamente considerando que les llevo muchas horas de vuelo por delante, es muy probable que pase muchos años advirtiéndoles y guiándoles por esas encrucijadas de la sexualidad. Obviamente, al final, ellos caminarán por su cuenta, según sus valores y criterios. Cada día nos acercamos a eso, avanzamos a su independencia, pero mientras nos aproximamos a ese punto, estaré allí para orientarlos y tomaré las decisiones que estoy seguro que ellos no pueden tomar con destreza y certeza.

Papá y mamá, tú también lo sabes, tú sabes cuáles son esas decisiones que ellos no pueden tomar, y aunque el mundo entero te quiera decir lo contrario tú sabes que es nuestra responsabilidad y anhelo orientarlos en cada área de sus vidas, y su sexualidad entra en esa lista. Nadie más como tú puede amar a tus hijos.

La madre que formó a su hijo como un profeta en medio del pecado sexual

Una mujer estéril clamó por un hijo, en medio de su vergüenza y oprobio derramó el alma en oración para tener la capacidad de dar a luz y Dios le respondió. Pero este niño fruto del clamor de su madre sería parte de los planes extraordinarios de Dios. El hijo de Ana no sería parte de una generación incrédula, irreverente, apática, cargada de pecado sexual y desconectada de Dios.

A pesar de que este niño crecería en medio de la perversión y el pecado, rodeado de jóvenes desenfrenados e irreverentes a

Dios y su ley, él sería un profeta a su nación, el sería una respuesta para los momentos de crisis.

Aun en medio de un ambiente contaminado, Ana formaría un hijo amante de Dios, alguien que escucharía su Palabra y la transmitiría a su pueblo. Ese fue Samuel, el fruto de una madre que sabía clamar y consagrar a su hijo. Esa es la labor de los padres, consagrar a sus hijos, no hay opción, orientamos a nuestros hijos en cada área de sus vidas y eso incluye su sexualidad:

"Ahora yo, por mi parte, se lo entrego al Señor.
Mientras el niño viva, estará dedicado a él...".
1 Samuel 1:28

Queridos papá y mamá, nuestra labor sin tregua es consagrar a nuestros hijos para el Señor, esto puede ser incómodo para el mundo y aun para nuestros hijos, pero nosotros estamos comprometidos en consagrarlos para que sirvan al Señor y amen su ley. Los educamos fundamentando su vida en la Palabra de Dios, ajustando su sexualidad a lo que la Biblia dice y contrarrestamos las asechanzas y trampas del mundo contra ellos.

Samuel creció en medio de una generación perversa

"Los hijos de Elí eran hombres impíos, y no tenían
conocimiento de Jehová".
1 Samuel 2:12 (RVR 1960)

Samuel servía en el templo del Señor con el sacerdote Elí y desde allí podía ver la perversión de los hijos del sacerdote:

"Así que el pecado de estos jóvenes era gravísimo
a los ojos del Señor...".
1 Sam. 2:17

Sus abominaciones y perversiones eran conocidas por todos, a pesar de eso, Samuel se mantenía firme en agradar a Dios y vivir según los planes que Ana había destinado para cada día de su vida. Nuestros hijos están en medio de una generación bombardeada por una sexualidad ilícita, y honestamente la mayoría de los jóvenes de esta generación caerán en las trampas de la pornografía, fornicación, masturbación, homosexualidad y muchas cosas más. Las redes, el Internet y los medios de comunicación los asechan y la presión es terrible, con todo y eso, no cederemos nuestros hijos a ese mundo de desenfreno sexual, porque las caídas por muy pequeñas que parezcan les acarrearán consecuencias terribles en su vida sexual, en su identidad sexual, en su futuro matrimonio, en sus planes profesionales, etc. La presión y la maldad que los rodea no es suficiente razón para ceder.

El pecado sexual de los hijos de Elí

"Elí, que ya era muy anciano, se enteró de todo
lo que sus hijos le estaban haciendo al pueblo
de Israel, incluso de que se acostaban
con las mujeres que servían a la entrada
del santuario".
1 Samuel 2:22

Los hijos de Elí estaban metidos en todo tipo de maldad y en su menú por supuesto estaba incluido el pecado sexual. Se metían y acostaban con las mujeres que servían en el templo, y lo hacían en ese lugar. Todo tipo de faltas a la sexualidad rodean a nuestros hijos, el abanico se abre desde lo más cotidiano hasta las aberraciones más increíbles que te puedas imaginar, o que ni siquiera te las puedes imaginar. Allí están nuestros hijos en medio de todo eso.

Los padres orientamos la sexualidad de nuestros hijos. Ellos deberán tomar sus propias decisiones, pero tú y yo pelearemos hasta el final, hasta el último aliento de nuestras oraciones. Sembraremos cada uno de los más de treinta y un mil versículos que hay en la Biblia, para que ellos vivan sexualmente santos en medio de una generación que hace lo que quiere con su sexualidad. Sigamos instruyéndolos, a pesar del sistema que los empuja a vivir su sexualidad a libre demanda con el argumento de que esto es lo actual, es progreso o es el último grito de la ciencia.

El contraste entre el versículo 21 y el 22 de 2º. Samuel capítulo 2 es contundente:

Versículo 21.

"El Señor bendijo a Ana... Durante ese tiempo, Samuel crecía en la presencia del Señor".

Versículo 22.

"Elí, que ya era muy anciano, se enteró de todo lo que sus hijos le estaban haciendo al pueblo de Israel, incluso de que se acostaban con las mujeres que servían a la entrada del santuario".

En el primer caso, encontramos a unos padres que estaban dentro de la bendición del Señor y con su hijo creciendo en el conocimiento de Dios.

En el segundo caso, encontramos a un padre anciano que apenas está descubriendo el pecado de sus hijos, incluyendo el pecado sexual.

Escoge tú en qué lado de la línea quieres estar. **Los hijos no orientados enfrentarán terribles consecuencias y sus padres también.**

Lamento que por muy dramático que esto suene, es verdad. Esa es la realidad cada día con los padres, jóvenes, esposas, hijos, hijas que me escriben para desahogarse, quejarse, lamentarse por una condición de esclavitud ante las cadenas del pecado sexual.

Sigamos revisando la historia de los hijos de Elí...

"Aquel día yo cumpliré contra Elí todas las cosas que he dicho sobre su casa, desde el principio hasta el fin. Y le mostraré que yo juzgaré su casa para siempre, por la iniquidad que él sabe; porque sus hijos han blasfemado a Dios, y él no los ha estorbado. Por tanto, yo he jurado a la casa de Elí que la iniquidad de la casa de Elí no será expiada jamás, ni con sacrificios ni con ofrendas".
1 Samuel 3:12-14 (RVR 1960)

Son palabras duras, ¿no crees? Sí lo son, Dios es misericordioso, en verdad lo es, pero hay un importante detalle con respecto a Elí como padre "...**él no los ha estorbado...".** A pesar de que Elí sabía las perversiones de sus hijos, simplemente no hizo un esfuerzo concreto y estratégico por "estorbar" lo que hacían. No trató de frenarlos, no los estorbó. ¿Qué significa eso?, haz tu parte para bloquear las conductas incorrectas de tus hijos. Es posible que sea incómodo y desgastante. De seguro no les gustará, pero tú y yo tenemos la obligación de entorpecer todo plan, acción o hábito que esté dando a luz PECADO en la vida de nuestros hijos. Revisa sus dispositivos, saca la computadora del cuarto, no concedas ciertos permisos, no lo dejes solo, llévalo contigo si no hay más remedio, establece horarios y normas para las visitas, salidas, o el uso de los dispositivos, checa sus redes. En fin, las acciones son muchas, haz lo que sea para estorbar, bloquear, interrumpir, inmiscuirte, entorpecer cualquier cosa que los esté llevando al pecado sexual.

Admiro a los padres que investigan acerca de los medios para poner controles a los dispositivos de sus hijos. Aquellos que se informan acerca del manejo de las redes, los que buscan herramientas e invierten tiempo en eso.

Papá y mamá, no sean parte de una generación negligente de padres de familia que ignoran el mandato de ser los orientadores de sus hijos. No seas parte de una generación de padres que están demasiados ocupados para tratar este asunto de enseñarles. Quizá piensas que no quieres desperdiciar tu tiempo en algo, que algún día alguien, o la escuela les enseñará. Tienes razón en eso, alguien más les enseñará y es muy probable que lo que aprendan te cause muchas heridas en el futuro. Alguien dijo: "Estamos frente a la generación de hijos más difíciles, con la peor generación de padres". Eso me parece extremo y contundente, pero no lejos de la realidad.

El final de Elí y sus hijos fue terrorífico

*"... ¿Por qué honras a tus hijos más que a mí,
y los engordas con lo mejor de todas las ofrendas
de mi pueblo Israel?".*
1 Samuel 2:29

El punto de Dios era este: Elí prefería tener a sus hijos libres de conflictos familiares, en una casa sin contrariedades, aunque esto significara fallarle al Señor. Prefieres verla salir con su novio, con una falda que pide sexo, sin interferir en su computadora o teléfono, y no tener una confrontación de valores o de perspectivas generacionales. Simplemente quieres evitar esa conversación incómoda al pie de su cama, para platicar un poco acerca de cómo están las cosas con sus amigos, con su novio, con las presiones sexuales, con sus primos y compañeros. Prefieres no responder preguntas sobre sexualidad que por lo general toman tiempo. Puedes dejarlo así, engordándolos con todo tipo de placer, juguetes electrónicos, relaciones a libre demanda, ser un papá *cool* porque no tienes reglas ni restricciones. El papá o mamá que todo hijo quisiera tener, sin controles, consumo de Internet y televisión sin límites. Fin de semana libre de horario y presupuesto, con quien sea, a dónde sea, a la hora que sea, honrando al pecado sexual, honrando el libertinaje, permitiendo cualquier tipo de influencia, ignorando que el costo será alto y el dolor también, veamos el precio que pagó Elí...

"Por cuanto has hecho esto, de ninguna manera permitiré que tus parientes me sirvan... En efecto, se acerca el día en que acabaré con tu poder y con el de tu familia; ninguno de tus descendientes llegará a viejo... Si permito que alguno de los tuyos continúe sirviendo en mi altar, será para empañarte de lágrimas los ojos y abatirte el alma... Y te doy esta señal: tus dos hijos, Ofni y Finés, morirán el mismo día".

1 Samuel 2:30-34

¡Qué mal!, muy mal... sabes, una vez más nos damos cuenta de que el pecado jamás ha hecho algo bueno por el ser humano, esa es la verdad.

Tomo el celular de mi hijo, lo enciendo, él pregunta: ¿Qué miras? Pues nada en particular, solo reviso, déjamelo un poco de tiempo —me voy para el cuarto, revisamos consultas en la web, YouTube, redes, conversaciones, imágenes, videos, juegos, consultas, ¡todo!, simplemente ¡todo!—. ¿Todo está bien? —se acerca y pregunta—. Pues, parece que sí. ¿Tendría que saber algo? —contesto—. No —responde—. Qué bueno hijo, cualquier cosa sabes que estoy para ayudarte. ¿Te parece extremo?, te aseguro que mi esposa es más inquisitiva en esto. Tenemos acumuladas horas de conversaciones, oraciones, instrucción, lectura de libros, explicaciones, arrepentimiento, perdón, ministración, consejo, disciplina, ungir con aceite, impartir el Espíritu Santo, y la lista se extiende, nunca será suficiente, no estarán fuera de peligro, y aun hacerlo no es garantía al 100 %, pero te aseguro que todo eso valdrá la pena para evitar un final como el de Elí y sus hijos, no lo quiero para mi familia.

Samuel crecía sirviendo al Señor

"Así que el pecado de estos jóvenes era gravísimo
a los ojos del Señor...
El niño Samuel, por su parte, vestido con un efod
de lino, seguía sirviendo en la presencia del Señor.
Cada año su madre le hacía una pequeña túnica,
y se la llevaba cuando iba con su esposo para ofrecer
su sacrificio anual".
1 Samuel 2:17-19

Samuel crecía en el conocimiento de Dios. Le servía al Señor, ese era el trato, así fue desde el principio, así lo dispuso su madre y ella colaboraba con eso, preparaba el efod del siguiente año, la ropa sacerdotal, la ropa de servicio en el templo, la vestidura que le daba identidad en medio del pecado de sus compañeros de clases. ¿Qué tipo de vestimenta estás proveyendo a tus hijos?, y por favor, no me refiero al estilo de blusa o pantalón que lleva puesto, no es esa vestimenta de la que estoy hablando. Ana preparaba cada año la vestimenta santa que su hijo utilizaría para servir en el templo. Vístelo cada día, cada semana, cada mes, cada año, vístelo de santidad. Afírmalo, aconséjalo, siembra la Palabra, sé parte del plan de Dios; es un plan de victoria, éxito y paz, un profeta, un libertador para su pueblo, el que llevará el mensaje de Dios a sus contemporáneos. Que sea la respuesta, la solución de la empresa, la diferencia en medio de la perversión, la justicia en medio de la injusticia, sexualmente santo, libre del pecado y la esclavitud sexual; todo comienza con tu compromiso delante de Dios:

> *"Ahora yo, por mi parte, se lo entrego al Señor. Mientras el niño viva, estará dedicado a él...".*
> 1 Samuel 1:28

Enfoquemos los puntos:

¿Dónde estamos parados?, ¿de qué se trata este capítulo? Nuestra conversación está girando alrededor de fortalecer, guiar, estimular y proveer herramientas a los padres en cuanto a la labor indispensable que tienen de ORIENTAR a sus hijos en el trascendental asunto de su sexualidad. Estamos dialogando con el objetivo de:

- Sensibilizar acerca de la responsabilidad de hablar con tus hijos de sexualidad.
- Reconocer la urgencia de hablar este tema con tus hijos, debido a los terribles peligros que rodean a la falta de una adecuada orientación del tema.
- Reconocer la importancia de una orientación bíblica en el tema de la sexualidad.
- Proveer consejos prácticos para realizar esta labor de orientación de la sexualidad de los hijos.

Hazme el favor de contestar la siguiente pregunta.

¿Consideras que es difícil hablar de sexualidad con los hijos? SI__ No__ ¿Por qué?

La respuesta a esa pregunta podría estar relacionada con la experiencia que tú mismo tuviste con tus padres. Según los datos que he podido recoger, la mayoría de los padres actuales tuvieron una mala experiencia con el tema, y bueno, algunos ni siquiera tuvieron una experiencia. Y el punto es que a partir de allí el abordar esta situación con los hijos ya podría ir cuesta arriba. Para orientar la sexualidad de nuestros hijos, debemos reconocer que hay obstáculos, prejuicios, temores, tabúes, falta de información, entre otras cosas, que afectan esta labor de orientación. La falta de un precedente, o peor aún, una experiencia previa catastrófica, son factores que entorpecen esta labor de orientar la sexualidad de tus hijos.

Considera estas preguntas:

1. ¿Qué y quiénes te enseñaron a ti acerca del sexo?
2. ¿A qué edad comenzaste a tener acceso a la información relacionada con tu sexualidad y en qué contexto?
3. ¿Tuviste experiencias difíciles o traumáticas que te impiden abordar este tema con sus hijos?

Respuestas a esas preguntas, pueden definir la manera como trates este asunto de la sexualidad con tus hijos. Esa experiencia podría facilitar o complicar esta labor.

Los desafíos. ¿Cuáles son algunos de los grandes muros que debes saltar? Puedo ver muchos desafíos frente a la mayoría de padres que les intimida, asusta, confunde o paraliza, para tomar cartas en el asunto y orientar la sexualidad de sus hijos, entre ellos:

- ¿Qué decir y cómo decirlo?
- La edad de los hijos.
- ¿Cuándo tocar el tema?
- Dudas sobre la información, conocimiento y veracidad.
- ¿Cuánta información ofrecer, qué datos son necesarios o innecesarios?
- La percepción de que los hijos nunca son suficientemente mayores.
- Las principales causas del miedo y la resistencia a hablar de sexo con los hijos e hijas son los temores personales de los padres.
- ¿En lugar de orientar, podría estimular algo prematuramente?

Hay otros factores que dificultan esto, por ejemplo, las ideas preconcebidas, los conceptos que han venido de generación en generación y que no son correctos. Conceptos como:

- Pensar que los hijos lo aprenden solos.
- En la escuela se lo enseñan.
- Enseñarles los incita a la práctica.
- Miedo a no saber responder las preguntas.
- Vergüenza.

Cosas como esas y un millón más se levantan como montañas que nos asustan y nos hacen retroceder en tomar una decisión contundente para hablar de este tema con nuestros hijos de forma intencional y estratégica. Quiero animarte a ignorar esas cosas, tú debes hablar con ellos antes que alguien más lo haga.

Buena comunicación es la gran herramienta. Los estudios reflejan que los hijos e hijas que sienten confianza para hablar con sus padres acerca de la sexualidad, son aquellos que han tenido la confianza de hablar abiertamente de cualquier otro tema. ¿Qué significa eso?, que estos hijos **SIEMPRE** han tenido buena comunicación con sus padres, y este tema de la sexualidad se convierte en un asunto más que hay que abordar.

Entonces, fortalecer la comunicación con tus hijos es primordial. Tu buena comunicación con ellos no empieza con el tema de la sexualidad. La buena comunicación es un eje valioso de trabajo con tus hijos para siempre.

Trabaja en la buena comunicación con tus hijos y cuando llegue el momento de abordar este tema de la sexualidad, simplemente harán lo que han hecho desde hace tiempo: dialogar, conversar, ver puntos de vista, revisar casos e historias y con todo eso ORIENTAR. La buena comunicación te permitirá evitar y prever comportamientos de riesgo, manejar situaciones relacionadas con provocaciones, tentaciones, abusos, intimidaciones, manoseos, presión de grupo, etc.

TODOS están listos para escuchar y aprender la voluntad de Dios

"Harás congregar al pueblo, varones y mujeres
y niños... para que oigan y aprendan...
y cuiden de cumplir todas las palabras de esta ley".
Dt. 31:12. (Énfasis del autor).

Todo el mundo está listo para escuchar los principios de Dios. No pospongas esto a causa de tus temores o las malas experiencias con tu sexualidad. Tus hijos están listos, siempre lo estarán para "oír y aprender" de la sexualidad según el diseño y propósito de Dios. Por eso tienes herramientas como este libro, con esto queremos ayudarte, unirnos a tu batalla, sumarnos a tu esfuerzo y darte más herramientas para cumplir con esta inminente labor de ORIENTAR la sexualidad de tus hijos.

El Señor encomendó a los líderes de Israel, la labor de instruir en sus mandatos a TODO el pueblo. De esa manera, el pueblo tendría la información correcta acerca de lo que Dios esperaba de ellos. En esa convocatoria didáctica estaban incluidos los niños. Ellos debían conocer los preceptos del Señor para vivirlos. Independientemente de los preceptos de alguien más, ellos debían caminar en las sendas de la ley de Dios, y esto es lo que haremos en este momento los padres.

Cuatro palabras clave para ayudarte:

1. **Trampas.** Tus hijos están expuestos y en peligro. Ellos están sometidos a una serie de información, estímulos, relaciones, amistades, tecnología y mil cosas más que los quieren inducir a una sexualidad que no es apropiada ni saludable para su cuerpo, alma y espíritu. Son y serán el blanco de toda clase de presiones para que vivan una sexualidad fuera del diseño de Dios. Quiero sonar alarmante con esto, es en serio, tú has protegido todo su ambiente y controlado toda la situación en tu casa (bueno al menos lo hemos tratado de controlar). Sin embargo, cuando salen por la puerta a la escuela, amigos, visitas, parientes y aun la iglesia, se exponen a ambientes tóxicos que tratarán de provocar su sexualidad y meterlos en situaciones que no son las

que tú quisieras que tuvieran que experimentar. Por lo tanto, no lo subestimes cuando digo que **tus hijos e hijas están expuestos y en peligro.**

Mientras salen para la escuela o al cine con sus amigos, cuando van por aquí o por allá con su amigas o su novio. Cuando salen al centro comercial o mientras toman algo en un restaurante. Tal vez cuando están navegando con su *tablet*, su computadora portátil o móvil. Todo puede suceder, caminarán entre bombas peligrosas que pueden hacer volar su santidad sexual, su virginidad, su pureza sexual, su fe. Considera que según estudios publicados en diferentes contextos, consumir cualquier tipo de pornografía se considera algo normal y esperado. Por lo tanto, tener acceso a esto es lo más fácil del mundo.

Además están los noviazgos tóxicos. Esas relaciones que destruyen los buenos hábitos, valores y la santidad sexual. Las relaciones sexuales ilícitas, las caricias subidas de tono mientras estaban solos en la sala de la casa, valga mencionar que estaban solos en la sala de la casa porque habían decidido orar juntos por sus estudios, claro. Están en peligro si caen en el "texteo" de conversaciones peligrosas que incluyen fotografías mostrando su cuerpo. El menú es extenso y variado, tal vez no estén teniendo relaciones sexuales, pero están haciendo todo tipo de cosas que no están acordes a una vida de santidad y pureza sexual.

¿Te acuerdas del capítulo 4 acerca de "Las viejas y nuevas trampas de la sexualidad"?, revisa una vez más esa lista de trampas que están trabajando sin tregua para atrapar a nuestros hijos.

No los pierdas de vista. Esas trampas están a la orden del día, todo el día, y tú también debes estar allí la misma cantidad de tiempo. El enemigo quiere destruir a tus hijos, quiere destruir su sexualidad, es **URGENTE** que los padres lo asumamos seriamente. Quisiera tener la capacidad de transmitir el dramatismo y contundencia de esa situación, quisiera ser lo suficientemente enfático para estimularte a la acción y no importa si sueno exagerado e incisivo porque eso es lo que quiero, lo digo por la cantidad de casos que atendemos, es alarmante y triste. Quiero desbaratar las estrategias del enemigo y el sistema del mundo. Quiero enfatizar tanto esto, que pueda sentir la paz de que logramos mover la mayor cantidad de padres posibles para que tomen el control de la vida de sus hijos, en un sentido sano de la expresión.

Que todo este sistema que quiere cautivar y esclavizar a tus hijos fracase, y ganemos esta batalla. El enemigo quiere destruir a tus hijos, quiere destruir su sexualidad, por lo tanto, no los pierdas de vista. Que tus ojos estén encima de ellos todo el tiempo, nunca pienses que es demasiado, no te sientas mal por hacerlo, es nuestra labor como padres estar allí y defenderlos cuando aparezcan las trampas que ellos no podrán descubrir y menos vencer. **Tú sí puedes**, la sexualidad de tus hijos está en peligro, y los efectos serán devastadores. Suelo decir que existen situaciones que es indispensable que sean descubiertas: un acosador que está rodeando a tu hija por una red social, visitas de sitios pornográficos, contactos en sus redes que los están influenciando a la homosexualidad, conversaciones eróticas, etc. Todo eso debe ser descubierto o ellos quedarán atrapados para siempre en trampas letales que ensuciarán su mente, su conciencia y su fe.

Por alguna razón los padres, y sobre todo los padres cristianos, pensamos que nuestros hijos no estarán expuestos a estas situaciones, tentaciones, presión, etc. OLVÍDATE de eso, sí lo están, justo como la hija de tu hermana o el hijo del vecino. Tanto la hija del pastor como el hijo del líder, todos están expuestos, y si tratas de ignorar eso, lamento decir que tus hijos e hijas quedarán vulnerables.

Quizá el contexto familiar está blindado con un sistema de defensa y control impenetrables, pero cuando salen al mundo exterior se exponen a todo lo que no se exponen en casa, y si no han sido instruidos, caerán en la trampa. Es urgente tomar conciencia de esto antes que sea demasiado tarde.

Hace unas semanas, mientras impartía esta conferencia sobre orientar a los hijos en su sexualidad, una joven pareja compartía la experiencia de cómo a su hija de 7 años, otra niña de 12 le pidió que se desnudaran y se besaran. La pequeña salió huyendo de ese lugar y fue a decirlo a su mamá. Las trampas del enemigo fueron bloqueadas en este caso, esperamos que cuando llegue el turno de nuestros hijos, ellos estén listos para enfrentar a esos gigantes. Es hora de hablar con ellos.

2. **Instruye.**

"Pero tú, permanece firme en lo que has aprendido y de lo cual estás convencido, pues sabes de quiénes lo aprendiste. Desde tu niñez conoces las Sagradas Escrituras, que pueden darte la sabiduría necesaria para la salvación mediante la fe en Cristo Jesús".

2 Timoteo 3:14-15

Los padres seguimos siendo los mejores maestros para nuestros hijos. La instrucción de tu amada hijita y tu apuesto hijo debe seguir en tus manos. Los mejores maestros, pastores, líderes, consejeros o confidentes de nuestros hijos debemos ser nosotros sus padres, esta función no la delegues nunca. Tú debes ser el mejor pastor de jóvenes que tu hija adolescente jamás haya conocido, la mejor maestra de párvulos que tu hijo haya tenido. Esas cátedras no se imparten en un salón de clases, la mayoría se imparte en la casa, en el automóvil, en la mesa al comer. Y no olvides, que **el ejemplo es la cátedra que impartimos a nuestros discípulos** en la vida diaria, esa clase es increíblemente profunda e inolvidable, tú eres un "padre- maestro - tutor".

¿Qué debes enseñar para guardar su sexualidad?

1. **Enséñales reverencia a Dios (Prov. 1:7).** Para que nunca menosprecien los principios de la Biblia y el valor de la presencia y comunión con Dios en su vida.
2. **Enséñales la importancia de la obediencia (Prov. 1:8).** No importa la presión que estén soportando, que sepan hacer lo correcto y no lo que quieren o lo que alguien más quiere.
3. **Enséñeles a seguir la pureza e integridad (Prov. 2:20).** En medio de tanta basura, que sepan caminar por la senda de los justos y menospreciar o hasta aborrecer la contaminación sexual.
4. **Enséñales a ser los responsables de su vida (I Tim. 4:12-16).** No podremos estar todo el tiempo con ellos, no estaremos presentes cuando muchas de esas trampas se presenten, pero ellos deberán tomar las decisiones correctas para su vida.

Los padres que instruyen con diligencia verán el fruto

"Instruye al niño en el camino correcto,
y aun en su vejez no lo abandonará".
Proverbios 22:6

Los padres instruimos, enseñamos, orientamos la vida de nuestros hijos. Si lo hacemos estratégicamente, con diligencia, compromiso y continuidad, esas enseñanzas tendrán un fruto permanente y a largo plazo; orientar a los hijos para vivir sexualmente santos dará fruto, confía en Dios para eso.

3. **Diseño.** Solo paso a recordarte lo que hablamos hace diez capítulos atrás: la sexualidad de tus hijos tiene un diseño y propósito definido por Dios en su Palabra, eso es vivir sexualmente santo.

En el capítulo uno revisamos qué significa "sexualmente santo", palabra por palabra, y en el capítulo dos hablamos algunos puntos clave del diseño de Dios para la sexualidad. En eso instrúyelos, la Biblia es el manual de contenidos.

4. **Actúa.** Hay mucho de qué hablar con respecto a cómo desarrollar estas conversaciones con tus hijos e hijas. Aspectos como la edad y sexo lo hacen más versátil y específico. En la web puedes encontrar un sin fin de documentos, archivos y sitios que te dan consejos acerca de cómo hacerlo. Como en todo, siempre es importante ir con cautela con lo que consultas en la web, pero con un poco de sentido común estarás bien, no hay que ser un gran conocedor o teólogo para identificar los consejos tóxicos. Por lo demás, la mayoría tendrán buenos aportes para orientarte. Ante la duda, busca la ayuda de un líder o pastor para aclarar.

Te comparto algunos consejos prácticos y generales de cómo hacerlo.

¿Cómo y cuándo puedo comenzar a hablar de la sexualidad?
Puedes comenzar desde la edad temprana (algunos expertos recomiendan aun desde los 5 años). Ten en mente que no puedes comenzar a tener una "gran comunicación" con tu hijo cuando llegue a la adolescencia, la buena comunicación nos acompaña siempre. Adapta la conversación a la edad de tus hijos. La vida cotidiana te brinda muchas oportunidades para hablar de la sexualidad con naturalidad (TV, publicidad, una vecina embarazada, etc.). Aprovecha alguna conversación durante una comida o paseo familiar. Una escena fuerte de sexo en una película, debe ser la antesala para hablar de los peligros de la pornografía y cómo deben alejarse de eso. Algunos planean "esa conversación" por meses, para decir todo lo importante en una sola dosis, pero si "la conversación" no resulta según el plan hay frustración y abandono del tema. Los aspectos relacionados con la sexualidad no son asuntos de una sola conversación, mejor prepárate para un camino largo.

¿Qué debo decirle a mis hijos?

- Información que transmita tus propios valores bíblicos acerca de la sexualidad. Evitar el tema podría enviar a los hijos a buscar información a otras fuentes, sin los valores que nosotros deseamos transmitirles.
- Aportar información acorde a tus valores, los prepara para tomar decisiones responsables y les ayudará para tener una referencia ante la presión.

- En las edades más tempranas, prevalece el enfoque biológico-anatómico. Así como el tema de la prevención ante los peligros de abusos. Deja los aspectos más emocionales para cuando tengan una mayor madurez.
- Enséñale los nombres de sus **órganos** sexuales tal como son. Evita emplear sobrenombres, ya que eso indica que el nombre real es algo "vergonzoso" o "malo".
- Si está en la escuela primaria, háblale acerca de los enamoramientos. Pon atención cuando hablen acerca de los abrazos y besos entre niños. Aprovecha para averiguar si le gusta una persona, haz preguntas como: "¿Alguna vez ha besado a alguien?".
- Si está en la escuela secundaria, escúchalo. ¿Le interesa los chicos, las chicas o ambos?, ¿algunos de sus amigos "tienen pareja"? Es muy importante que sepan que los podrás escuchar sin escandalizarte. Es posible que tengas tus propias opiniones acerca de lo que sucede, escúchalos y luego opina razonando. Háblales acerca de cómo funcionan las relaciones sexuales (la mayoría de ellos ya habrá oído esta información).

¿Cómo respondo las preguntas de mi hijo sobre sexo?

- Siempre contesta con honestidad y nunca le ocultes la verdad.
- Indaga la verdadera razón por la que están preguntando (curiosidad, ayuda, inquietud).
- La naturalidad es clave. Alarmarte, regañar o esquivar trae sensación de peligro, vergüenza, poca comprensión y cerrarán la comunicación.

- Ten en mente que esta generación exige razonamientos, no solo imposiciones.

Algunas sugerencias:

- No bombardees con tanta información. Dales respuestas breves y simples según la edad. Motívalos a preguntar más: "¿hay algo más que desees saber?".
- Indaga qué es en verdad lo que quiere saber. Te ayudará si le preguntas: "¿qué has escuchado?", "¿qué piensas sobre eso?".
- Asegúrate si quedó claro todo. Pregúntale, "¿quedó claro?", "¿necesitas que hablemos más de esto?

Un poco de todo:

- Primero escucha, no corras a intervenir, ni te escandalices.
- Enséñales de las enfermedades de transmisión sexual (por ejemplo el SIDA).
- Si se incomodan con el tema, dales tiempo.
- Adviérteles acerca de los abusos: nadie debe tocar sus órganos sexuales, se vale decir "NO", cómo salir de una situación peligrosa, qué hacer si alguien está en peligro.
- Considera que es posible que sepan más de lo que crees.
- Llévalos con dosis pequeñas, no trates de hablarlo todo de una sola vez.
- Habla de la presión de grupo.
- Si no has empezado, nunca es tarde, hazlo.
- Estar bien informado te dará confianza.
- Si te sientes inseguro consulta (libros, expertos, consejeros, educadores, web, etc.).

- Explica los cambios actuales y futuros en su cuerpo.
- Se requiere tiempo y paciencia para responder a las preguntas relativas al sexo.
- Utiliza materiales de apoyo para explicarles (películas, dibujos, videos).
- Háblales de las consecuencias de la sexualidad responsable e irresponsable.
- Habla sin vulgaridad, que sea una conversación seria.
- Cuídate de expresiones como: "Cuando seas grande lo sabrás", "de eso no se habla, cállese niño", "Dios lo va a castigar si habla eso". Ese tipo de frases cierra la comunicación.

Todo empieza con los padres

"... Cuando los padres son malvados y me odian,
yo castigo a sus hijos hasta la tercera
y cuarta generación.
Por el contrario, cuando me aman
y cumplen mis mandamientos,
les muestro mi amor por mil generaciones".
Proverbios 5:9-10

Las palabras persuaden, pero el ejemplo arrastra, padres, todo empieza con nosotros. El Proverbio que cité anteriormente, ha sido una palabra que me ha sostenido en aquellos momentos en que he cuestionado el destino de mis hijos, sobre todo, porque están en medio de tantas asechanzas y encrucijadas. Me anima saber que mis buenas decisiones en cuanto a seguir y servir a Dios, serán una bendición para mis hijos. Cuando decidimos caminar tomados de la mano de Dios, Él en su misericordia y amor, nos cubre a nosotros (los padres) y a nuestras generaciones. Si amas a Dios y te esfuerzas en sus mandamientos, la misericordia de Dios alcanzará a tus hijos. Por el contrario, nuestra negligencia espiritual les afectará. Obviamente ellos tendrán que tomar sus decisiones, pero la perspectiva es mejor cuando los padres decidimos por Dios.

Esos versículos **me animan** y **desafían**:

Me animan: porque lo que yo haga les afectará para bien. Ellos podrán recibir la misericordia del Señor a través de un padre que buscó a Dios con diligencia y compromiso, esa manera de vivir será la fuente de bendición para mis hijos.

Me desafían: porque obviamente debo esforzarme en dar lo mejor de mí para ser merecedor de esa promesa, debo correr con madurez y compromiso de vida cristiana. Y porque debo guiarlos a ellos para que caminen de la mano del Señor.

Nos esperan grandes retos para orientar a esta generación, hablo de nuestros hijos e hijas. La sexualidad es una batalla de cada día, y cada día con la ayuda del Espíritu Santo la vamos a ganar.

¡Ánimo padres, peleemos por nuestros hijos!, la batalla por ellos es a muerte y nunca termina, pero valdrá la pena; todo lo que hagas por ellos vale la pena, vamos al campo de guerra y con la Palabra y el Espíritu Santo de nuestro lado sin duda ¡ganaremos!

Puedes mantenerte en contacto visitando:

www.carlosnavas.org

www.avivadoresenlinea.com

Made in United States
Orlando, FL
27 June 2023